P9-CQO-541

NUNCA PIERDAS LA ESPERANZA

JOSÉ H. CORTÉS

Pacific Press® Publishing Association
Nampa, Idaho
Oshawa, Ontario, Canada
www.pacificpress.com

Dirección editorial: Miguel Valdivia
Redacción: Ricardo Bentancur
Diseño de la portada: Steve Lanto
Diseño del interior: Aaron Troia

A no ser que se indique de otra manera, todas la citas de las Sagradas Escrituras están tomadas de la versión Reina-Valera, revisión de 1960.

Derechos reservados © 2009 por
Pacific Press® Publishing Association.
P. O. Box 5353, Nampa, Idaho 83653,
EE. UU. de N. A.

Primera edición: 2009

ISBN 13: 978-0-8163-9311-4
ISBN 10: 0-8163-9311-7
Printed in the United States of America

09 10 * 02 01

CONTENIDO

INTRODUCCIÓN

Las enormes puertas de hierro rechinaron a mis espaldas. Detrás quedaba mi libertad, mi querida esposa que esperaba a nuestro primer hijo, mis angustiados padres que no podían entender a ciencia cierta lo que estaba pasando, y la comunidad de creyentes, una vez más consternada ante la acción de los Tribunales Populares de la Revolución. Todos angustiados, pero particularmente mis hermanos en la fe se preguntaban: ¿Cómo es posible que un ciudadano respetable y honesto, nuestro pastor, sin haber cometido delito alguno, sea condenado y llevado a prisión, injustamente?

No fui un caso aislado ni el que más sufrió; y no es mi intención derramar amarguras, pues nunca aquellos hechos lograron amargar mi espíritu. En asuntos de conciencia nadie tiene derecho a legislar: Ni gobernantes ni reyes ni aun la misma iglesia. El Creador le ha dado a los seres humanos un derecho inalienable: el libre albedrío; y sin eso la vida carece de significado.

Para escribir los relatos que cuento en este libro, la pluma fue mojada en la sangre del corazón. Pero el espíritu de esta obra no es político ni polémico. Solo quiero presentar aquí los hechos tal como sucedieron, y cantar las victorias de la buena voluntad, la fe, la esperanza y el amor, que aun en medio de la misma miseria superan superlativamente por su grandeza los efectos de la arbitrariedad, el abuso y el crimen. Acepto humildemente que la línea divisoria va a ser muy fina, y esa es una de las razones por las que he evitado durante muchos años publicar estos testimonios. Pero finalmente he decidido escuchar los pedidos de varios amigos hispanos, anglosajones y franceses, que me han oído contar algunas de estas vivencias en mis conferencias y sermones, y me han dicho: "Debes publicarlo; será una bendición para creyentes y ateos". Pero, sobre todo, quiero obedecer los reclamos de mi conciencia, que me grita insistentemente ¡que deben publicarse las vivencias de seres que existen, aunque se les niegue la existencia! ¡Hombres que, olvidados por su propia familia e ignorados por el mundo, han llegado a ser héroes de la fe y que viven únicamente sostenidos por la esperanza!

Hoy cumplo con el deber de transmitir estos testimonios, que por razones obvias no revelarán la verdadera identidad de las personas que fueron protagonistas, incluyendo al personaje central con el cual me identifico. El protagonista principal de estos relatos bien podría ser Benigno, René, Pedro o Humberto. No importan los nombres reales. Detrás de esos nombres ficticios hay seres reales, cuyos relatos de vida tienen como único propósito darle la gloria a Dios.

MI LLEGADA AL INFIERNO

"Aunque ande en sombra de valle de muerte, no temeré mal alguno, porque tú estarás conmigo" (Salmo 23:4).

Cuando aquellas enormes puertas se cerraron a mis espaldas, me dio la impresión de haber entrado no solamente a un mundo desconocido y hostil, sino a las mismísimas entrañas del infierno. Y no me equivocaba: las siguientes semanas serían testigos mudos de las más agónicas y desafiantes experiencias de mi joven existencia. Les confieso que muchos de estos detalles que aquí van no son aún conocidos por mi propia esposa, ni por mis hijos. Ellos se enterarán cuando lean este libro. Nunca quise amargarlos ni exponerlos a angustias.

Me hicieron formar en una fila con otros veinte prisioneros, obviamente también recién llegados, y por las órdenes de los carceleros comenzamos a pasar por una especie de proceso de matriculación, donde nos asignaron números, nos ordenaron despojarnos de ropas y zapatos, quedar en ropa interior, y entrar a una rústica barbería donde le diríamos adiós al cabello de nuestras cabezas. Notamos que no cubrieron nuestro cuerpo con una tela, como se hace normalmente para un corte de cabello, sino que con toda intención el barbero hacía caer los cabellos cortados directamente sobre el cuerpo. Varios se quejaron, pero yo traté de pasar por alto esta pequeña molestia, pensando que al pasar por las duchas, eliminaría ese desagradable escozor de los cabellos pegados al cuerpo sudoroso. No imaginaba cuánto tiempo pasaría hasta que llegara esa deseada oportunidad de tomar un baño.

En el grupo íbamos dos ministros religiosos; los demás eran individuos condenados por causas comunes. Muy pronto comenzaríamos a ver la diferencia. A todos los presos comunes les dieron uniformes azules y zapatos altos, pero a los dos ministros nos hicieron pasar en paños menores ante un oficial, en un tosco lugar que llamaban las Oficinas del Reeducador. Con una sonrisa aparentemente amable nos recibió este "reeducador", a quien los presos conocían como "papito el del revólver", porque su costumbre invariable, siempre que entraba en las galeras de la prisión o recibía a algún recluso en su oficina, era tener infaliblemente su mano derecha sobre el cabo de su revólver calibre 45, y si alguien lo molestaba con alguna pregunta, él contestaba: ¡Precaución, hijito... precaución!

Con un descaro incomparable, mientras mantenía a dos ministros religiosos en calzoncillos y en una ridícula posición de atención, comenzó su primer discurso de reeducación. Lo recuerdo bastante bien, pues me causó una extraña impresión por lo torpe y brutal. En otras circunstancias me hubiera muerto de risa; parecía un personaje entresacado burdamente de algún escrito de Carlos Marx a deshoras de la noche; un payaso cantinfleando acerca de política: "La religión es el opio de los pueblos y ustedes los ministros religiosos son instrumentos del imperialismo. Pero la Revolución es buena y me ha puesto aquí como maestro, para enseñarles cómo abandonar esos vicios del capitalismo, cambiar y llegar a ser hombres nuevos, hombres útiles a la sociedad socialista". Ahí se detuvo como esperando un aplauso; pero nunca llegó. Seguidamente nos invitó a aceptar el plan de reeducación voluntariamente. Según él, ese camino, "que seguían los más inteligentes", era más rápido: Íbamos a "pagar nuestra deuda con la sociedad en una sección de la prisión mucho más cómoda y con algunos beneficios", que de otra manera no tendríamos hasta que llegáramos "a cierto nivel en el proceso de reeducación". Este proceso incluía entre otras propuestas: Enviar una carta de renuncia al pastorado, dirigida a la dirigencia de la iglesia, con copias firmadas al Ministerio del Interior y a la Dirección de la prisión. Asistir voluntariamente al llamado "Círculo de estudios", que no era otra cosa que una clase de adoctrinamiento, o "lavado de cerebro", que tenía mucho éxito sobre las mentes débiles. Estar dispuestos a analizar desde el punto de vista marxista nuestras creencias pasadas, para luego renunciar a ellas (el reeducador, todo comprensión, aceptaba que eso podría tomar un poco de tiempo). Aceptar que la Biblia es solamente una colección de leyendas y fábulas, un tipo de literatura mitológica. Fijarse la meta de llegar a ser "un hombre nuevo", útil a la sociedad socialista, etc.

Y si todo marchaba de acuerdo con el plan, al cumplir la condena y salir de la prisión, el gobierno se responsabilizaba con darnos todas las oportunidades para hacer una nueva carrera en la universidad y comenzar "una nueva vida" de servicio a los ideales del gobierno. Entonces disfrutaríamos de un país altamente industrializado, donde la abundancia de los bienes sería repartida igualmente entre todos, una sociedad sin discriminación, ¡una sociedad sin siervos ni señores! Sin César ni burgués ni Dios.

Al terminar su perorata, nos entregó una planilla donde debíamos indicar la aceptación del plan de reeducación. Nos dijo en tono paternal: "Hijitos, acepten, yo sé lo que les digo, negarse puede llegar a ser muy doloroso, les aseguro que se arrepentirán si no firman". Entonces comenzó en un tono confidencial y persuasivo, como tratando de que nadie más lo oyera, a contar lo que nos podría pasar: "Cosas horribles suceden allí; por ejemplo, a la sección cuatro, todos los reclusos le tienen mucho miedo, la llaman la Leonera. Es un lugar muy hostil, y es muy difícil que sobrevivan personas como ustedes, pues aunque nosotros tratamos de impedir cualquier desorden, es imposible evitar cada incidente, como ser golpeados y hasta violados por delincuentes comunes. Los criminales siempre están esperando la llegada de los nuevos reclusos, allí les llaman "carne fresca", y si se rebelan les puede costar la vida. No hay forma de ganar en ese terreno, porque cuando se forman esas trifulcas, los muertos van al hoyo y los que ganan la pelea reciben castigos y más tiempo de condena. Aquí hay casos de algunos que vinieron como ustedes, con condenas cortas, y ya están pagando sentencias de veinte o treinta años. Algunos se quedarán aquí de por vida. Por eso, no sean brutos, firmen, acepten el plan".

Pero como advirtió que la respuesta tenía que ser individual, nos separó. Esto me preocupó mucho, porque el otro pastor era mi mejor amigo; alguien a quien yo quería entrañablemente. Fuimos compañeros de estudios en el Colegio Adventista de las Antillas; cantábamos en dúos y cuartetos; tocábamos (yo mi violín y él su clarinete) en reuniones de evangelismo y congresos de jóvenes. Después de graduarnos, trabajábamos en la misma zona y bajo la misma directiva. Nadie mejor que dos amigos pastores para ayudarse mutuamente en momentos tan difíciles; pero nos tocó tomar la decisión solos. Yo, por mi parte, no tenía nada que decidir. Mi suerte estaba echada; yo también confiaba en mi amigo, creía firmemente que mi compañero estaba en la misma posición, sólida y firme: "Fieles a Dios y a la verdad aunque se desplomen los cielos". Pasó un lapso de tiempo que pudo haber sido como de una hora; a mí me pareció un siglo. Entonces entró el teniente Manuel, el reeducador ("papito el del revólver"), que venía con una sonrisa diabólica en su rostro. ¿Cómo olvidar ese momento? Me dijo: "¡Ya tu compañero firmó!" Espero que tú también seas inteligente como él. Yo no contesté una palabra y le di mi planilla en blanco. No podía creer lo que me estaba diciendo. Aquel engendro de bolchevique a la criolla tenía que estar mintiendo para tratar de influir en mis decisiones. Pero lo más desconcertante fue que no volví a ver a mi amigo a solas durante varios meses. Solo lo vi unas pocas veces en contadas horas de visita en todo el tiempo que estuvimos en la prisión. Una vez nos encontramos en una de las sesiones de adoctrinamiento del famoso círculo de estudios, al que me habían llevado contra mi voluntad, pero casi ni me miró. Allí estaba "mi amigo". No habló ni una sola palabra, fue una experiencia muy triste y vergonzosa para ambos.

El tema del día fue evolución versus creación. Y tanto el reeducador como los instructores pensaron que les iba a resultar una presa fácil. Pero no fue así. Dios me visitó y el debate se puso en llamas. Fue más que interesante. Porque fueron tales los argumentos que el Señor puso en mi boca, basados en la Biblia y en ciertos conocimientos de la ciencia, que los materialistas quedaron desmoralizados. Entonces me prohibieron hablar. Nunca más intentaron llevarme allí.

—¡Te doy diez minutos más para que recapacites! —la voz del reeducador, con tono ya menos paternal, me sacó de mi estado de shock.

Les confieso que haciendo de tripas corazón, contesté lo que tenía que contestar: —¡No necesito ni un minuto más, no creo lo que me dices acerca del pastor H! ¡Él es un hombre bueno y fiel a los principios!

—¡No hay principios fuera de los principios revolucionarios! —dijo el teniente Manuel y lanzó una carcajada—. ¡El otro religioso ya se rajó!

Esto me hirió en lo más profundo, entonces repuse en tono ya muy firme ante el desafío: —Si mi compañero claudicó, es su decisión personal; pero con la ayuda de Dios ¡yo nunca lo haré!

—¡Eso ya lo veremos! —repuso.

—¡Si mi compañero cedió, no confíen en él, porque de los cobardes y de los traidores no se puede esperar nada bueno! —me atreví entonces a gritarle en su cara—. ¡Hay personas que tienen su precio y se venden al mejor postor, pero hay otros hombres que no se venden ni se compran, hombres que permanecen firmes a los principios de la verdad como la brújula al polo! ¡Yo quiero ser uno de esos! ¡Creo en Dios como creador del universo, y creo que la Biblia es su Santa Palabra inspirada! ¡Creo en Jesús, quien fue entregado en manos de pecadores y murió por mí crucificado! ¡Y ahora, que Dios me ayude!

Ya no pude decir nada más. El comisario político se unió al teniente Manuel y dijeron casi al unísono: "¡A la sección cuatro!" En aquel momento yo no entendía a ciencia cierta el significado de aquella frase, pero ellos sí lo conocían muy bien. Más tarde supe dolorosamente de qué se trataba. Me asignaron a la famosa Leonera. Más adelante sabrán por qué.

Seguidamente me hicieron pasar a un lugar llamado guardarropía, donde a empujones me hicieron vestir un uniforme azul. Pero ya ni siquiera me perturbaban los insultos; yo pensaba en el triste abandono de mi amigo y compañero, y oraba para que Dios lo ayudara a rectificarse. Pero tristemente, eso no sucedió entonces. No quiero —por respeto a su familia, a la que amo de todo corazón— mencionar nada acerca de su identidad. Solo que no puedo dejar de decir lo que sucedió, porque como verán, aquella traición dejó una huella dolorosa en mi experiencia y en la vida de la iglesia, que ojalá pueda servir de lección para muchos. Hay personas que se acobardan y abandonan el camino cuando comienzan las pruebas y las aflicciones. ¡Qué pena! ¡Es necesario vencer la cobardía! El hombre y la mujer de principios deben ser fieles hasta la muerte, pues solo así recibirán la corona de la vida. Y aun cuando ciertas personas de quienes esperábamos algo miren para otro lado como si no nos conocieran, y todos nos vuelvan las espaldas y nos abandonen, no nos descorazonemos, ni nos rindemos. ¡Necesitamos sacar valor de la cobardía ajena! ¡Fuerzas de la debilidad de los que se apartan y abandonan la lucha! ¡Necesitamos sacar calor de la frialdad de ellos!

Decirlo tal vez es más fácil que hacerlo. Yo aprendí mis lecciones tratando con cobardes: Se esconden y parapetan detrás de los inocentes sin importarles quiénes sean. Son capaces de esconderse detrás de un grupo de niños o de ancianos, para dispararte y que no puedas defenderte. No les importa el daño que hagan, piensan que pueden evitarse dolores o derrotas simplemente tratando de escapar de la realidad del conflicto.

Muchos dicen "pobrecitos los cobardes, son unos infelices porque el miedo los domina". Pero el cobarde que se deja dominar por el miedo puede llegar a ser muy peligroso. Porque por miedo es capaz de realizar las acciones más viles: puede negar a Dios, y aun abandonar y entregar a su propia familia o a sus amigos más cercanos. Los cobardes se mueren antes de que los maten. Dice la Biblia que los cobardes no entrarán en el reino de los cielos. Durante todo el tiempo en la prisión, después que pasé mi bautismo de fuego, siempre oraba: "¡Señor dame tu valor para poder vencer, líbrame del demonio de la cobardía, aunque me encuentre a las mismas puertas de la muerte y del sepulcro! ¡Que el aliento de tu Palabra me sostenga y la luz de tu Lámpara ilumine mi camino!" ¡Cómo me fortalecieron, cuánto bien me hicieron todos los pasajes que memoricé de la Biblia cuando era niño, en mi hogar, con mi madre y mis hermanas! ¡Cuánto me fortalecieron todos los versículos y capítulos que aprendí mientras estudiaba las clases de doctrina bíblica en el seminario bajo la dirección de los pastores Isaías De la Torre y Castellón y Virgilio Zaldívar Marrero! Porque allí, en la prisión, me encontré cara a cara con la vida: no tenía la Biblia a mi alcance, mi familia no estaba allí, tampoco los hermanos en la fe, y el amigo que tenía abandonó el camino. Así que mis únicos recursos eran orar y meditar en los pasajes de la Biblia, los que había atesorado mientras tuve oportunidad. La Palabra fue lámpara para mis pies y lumbrera para la tenebrosa senda que me tocaba caminar.

Si tuviera que decirte algo a ti personalmente, mi querido lector, es lo siguiente: Lee diariamente la Biblia. Hay en el Libro una fuente de poder ilimitado, que puede ayudarnos a vivir mejor en los días normales de la vida y ser nuestro refugio en el día de la tormenta.

TRATÉ DE SUFRIRLO Y NO PUDE

"Y dije: No me acordaré más de él, ni hablaré más en su nombre; no obstante, había en mi corazón como un fuego ardiente metido en mis huesos; traté de sufrirlo y no pude" (Jeremías 20:9).

La voz rajada y chillona del guardia del pasillo de la sección cuatro se hizo escuchar al unísono con el chirrido de la pesada puerta de rejas que daba entrada a la Leonera. "¡Carne fresca!", gritó. Del interior de aquella horrenda cueva donde se acumulaba lo más bajo de la sociedad salió como un rugido estruendoso de algarabía, seguido de aplausos. Yo tenía 22 años recién cumplidos, estaba viviendo aquellos crueles momentos, y me parecía imposible que fuera verdad. ¿Cómo podría eso estar pasándome a mí? ¿Era acaso cierto? ¿O quizá pronto despertaría de aquella pesadilla? La perversa voz del guardia, a quien simplemente llamaban Pasillo, me sacó de mi inocente cavilación. Congraciándose con los condenados, pregonó otra vez: "¡Carne fresca!"

Una sensación escalofriante me recorrió la espina dorsal. Los cuentos del reeducador no eran cuentos. Todo estaba sucediendo tan rápidamente que era como ir cayendo de un abismo en otro abismo. Oré brevemente: "¡Señor, no me sueltes de la mano!" Y entonces, con una reacción inesperada, inspirado en los pasajes de Nehemías profeta, dije con una voz potente que hizo callar a todos: "¡Señor Jehová de los ejércitos, en el día grande, en el día de tu segunda venida, en el día del juicio final, recuerda a este sinvergüenza y no le perdones este pecado!" Ante el efecto producido, el Espíritu me hizo decir cosas que ni siquiera había planeado o pensado, más o menos así: "¡Jehová, Jehová, Dios poderoso en batalla! ¡Aquí está tu siervo, perseguido como uno de los profetas de la antigüedad! ¡Desnuda tu brazo ante los perversos y no te separes de mí ni un instante! Yo te pido hoy: ¡Derrama las siete postreras plagas sobre el que se atreva a tocarme!" Vaya atrevimiento. Yo pesaba 54 kilogramos, y no soy muy alto de estatura, pero siempre tuve una voz potente. Sin embargo, sentí que aquella voz no fue solo mi voz, fue algo muy poderoso que pareció tener eco en toda la Leonera. De todas maneras, aquella inesperada imprecación y la invisible presencia del Todopoderoso crearon un escudo de protección a mi alrededor y produjeron un profundo impacto en aquella gente, incluyendo al Pasillo, que abriendo y cerrando rápidamente detrás de mí la puerta de la celda, salió como alma que lleva el diablo. De más está decir que por la gracia de Dios nadie se atrevió a tocarme, ni siquiera a amenazarme en todo el tiempo que estuve allí.

La celda de la bienvenida

Era una celda de aproximadamente tres metros de largo por dos de ancho; "tapiada", según la jerga de los reclusos. Esto quería decir que la puerta estaba cubierta con una plancha de acero; solo tenía una ranura a la altura del suelo, suficiente como para dejar pasar un plato de aluminio y una lata pequeña para el agua y la leche aguada que daban para el desayuno. A la mañana, el menú era invariable: Una rebanada de pan, del grueso del dedo meñique, y una ración de leche en polvo, disuelta en agua fría y con algo que le daba un cierto sabor no del todo desagradable. Pero nunca pasaba de la mitad de la capacidad de la mencionada latita. Las otras dos comidas eran igualmente frugales: arroz suficiente como para llenar una cajita de fósforos pequeña. Algunos contaban por curiosidad los granos de arroz antes de comérselos, y nunca pasaban de 150. Ese era el récord. El potaje o sopa era siempre de frijoles. Calculo que sería como un cucharón mediano, y a veces, si estábamos con suerte, nos tocaba un pedacito de calabaza con los frijoles.

La comida tan escasa daba lugar a apuestas entre los presos, que se jugaban el almuerzo con cualquier cosa imaginable; por ejemplo, si una mosca (y habían muchas) se posaba primero en la mano derecha o la izquierda, y tonterías de ese tipo, que casi siempre terminaban en discusiones y peleas por el plato de comida. Todo se valía para ganarle el almuerzo al otro.

La luz que veíamos provenía de un foco de 25 vatios, que colgaba en el centro de la celda. Muchos días pasarían hasta que nos cambiaran a una celda no tapiada, como el resto de los inquilinos de la Leonera, a fin de tener derecho a salir al patio (muy peligroso por cierto), ver la luz y recibir los rayos del sol.

Para dormir había solamente una litera doble. Se imaginan una litera doble para 21 hombres. ¿Qué digo hombres? Seres humanos. ¿Seres humanos? No, no, en tales condiciones, los seres humanos se vuelven peores que las bestias. Me daba mucho dolor ver cómo el enemigo había destruido la imagen del Creador en personas que, al fin de cuentas, eran creación de Dios. A veces peleaban hasta la sangre para dormir en la litera, y muchas veces tiraban al suelo al que se quedaba dormido, y las cabezas sonaban como cocos en el piso de concreto. ¡Aquello era horrible!

Pero esto era principio de dolores. Lo peor vendría después. A medida que pasaban los días, la situación se hacía más y más difícil. ¿Puede imaginarse a 21 hombres teniendo que hacer sus necesidades fisiológicas en un agujero de diez centímetros de diámetro en una esquina de la celda? Jamás intenté usar aquellos camastros pestilentes; me pasaba día y noche agachándome y parándome, recostado a la pared. No podíamos sentarnos ni acostarnos en el piso, porque había orina y excremento desparramados por todos lados. Me dolían las piernas y la espalda; tenía los pies hinchados y comenzaban a pudrirse los dedos dentro de las botas húmedas e infectadas. El tiempo parecía haberse detenido.

Mi verdadero dolor

Durante los dos días anteriores ya no había podido comer ni la escasa ración; se la regalaba a cualquier de ellos. No hablaba sino para contestar con monosílabos cualquier pregunta. Pero mi verdadero dolor no era físico, sino espiritual. Compréndanme, es muy difícil para un hombre como yo confesar esto, pero creo que ser honesto y vulnerable ayuda a sanar el alma: Me encontraba quebrantado, llegué a pensar que Dios me había abandonado, estaba desesperado y deseaba realmente morir. Por primera vez en toda mi existencia quise dejar de ser; y felizmente, nunca más me ha sucedido esto. Nadie en este mundo debería tener una vivencia similar. Todo había sido un fracaso. Todos mis sueños juveniles de ser un predicador exitoso, de ser un gran evangelista, de ser un pastor amado por su congregación y la comunidad, se habían reducido a una pestilente celda llena de delincuentes y materia fecal. Imagino que Lucifer y los ángeles caídos me rodeaban y se regocijaban en mi fracaso. Me daba vergüenza pensar en mi esposa y en mi primer hijo que iba a nacer. ¿Qué clase de legado le podría dar?

Cuando empezaba a orar, solo lograba llenar a Dios de reproches, y luego me avergonzaba. Recuerdo que le dije: "¡Tú me has engañado! ¿Eres acaso mejor que estos comunistas? Te entregué mi vida para ser un ministro, me puse a tu servicio siendo un niño, he puesto mi juventud en tus manos y mira dónde me has traído. ¡Me has engañado! ¡Mira lo que has hecho de mí; parezco un guiñapo! ¡Si mi madre me viera, se horrorizaría! ¡Si Celita me viera, se moriría de angustia! Ya basta, Señor, he tocado fondo. ¡Termina con mi vida aunque ésta sea una muerte vergonzosa! ¡Ya no tengo fuerzas para seguir aquí! ¡Y no quiero continuar!"

Traté de sufrirlo y no pude

Este diálogo con mi Dios, aparentemente tan irracional, me hizo rebotar contra el fondo y ver mi verdadera realidad. Entonces pregunté: "Dios, ¿qué quieres de mí?" Mientras decía esto en mi interior, comenzaron a llegar a mi mente escenas de la vida del profeta Jeremías. Y yo miraba al hombre de antaño desde mi condición; y aunque no tenía la Biblia en la mano, recordaba los pasajes con una nitidez extraordinaria.

Vi a Jeremías cuando se encontró con la Palabra del Señor y con cuánta alegría la aceptó: "Fueron halladas tus palabras, y yo las comí; y tu palabra me fue por gozo y por alegría de mi corazón; porque tu nombre se invocó sobre mí, oh Jehová, Dios de los ejércitos" (Jeremías 15:16). Este pasaje me recordó los días cuando acepté el llamado para ser un ministro. Fueron días de desafío, pero felices: Yo había sido destinado desde el vientre de mi madre para estudiar Medicina. Mi padre siempre tuvo un plan en mente para mí: que fuera médico como mi primo Richard. Bebé y Cachita, mis hermanas, eran enfermeras. Así que cuando le dije a mi padre que Dios me había llamado a ser un ministro del evangelio, puso el grito en el cielo. Él era un buen cristiano; pero no estaba dispuesto a ceder. Y me dijo: "¡Nuestros planes para ti siempre han sido otros! Mira cómo viven los doctores de la familia; todos tienen dinero. Compáralos con los pastores que conocemos: son buenas personas, ¡pero se mueren de hambre! ¡No tienen nada!"

Firmemente le contesté a mi querido padre: "Siento no poder continuar con los planes de la familia, lamento no poder complacerte; pero este llamado es más fuerte que yo. ¡Voy a ser un ministro! ¡Es un privilegio que el Señor me haya escogido a mí y me haya llamado para el oficio más importante del mundo! ¡Estoy lleno de gozo!"

Entonces, desde el fondo de la celda, pensé que tal vez mi padre tenía razón. Pues pude ver al profeta cuando, por cumplir con su misión, fue azotado y puesto injustamente en el cepo, castigo cruel y vergonzoso, sobre todo cuando lo expusieron en la puerta superior, la que conducía al templo, para escarmiento público (Jeremías 20:2). Hay castigos, y *castigos*, ¿no?

Contemplé al hombre cuando sufría la conspiración, la traición y las calumnias de los que debían ser sus amigos y hermanos: "Venid y maquinemos contra Jeremías" (Jeremías 18:18). ¿Has tenido que sufrir la calumnia alguna vez? ¡Qué difícil es! Y sobre todo cuando la calumnia va cabalgando sobre los lomos de tu desgracia, la carga de la vida es cuatro veces más pesada. Me pregunto: ¿Cómo puede Dios perdonar a los calumniadores? ¡Esa es una de esas cosas incomprensibles de su amor! Pero sobre este asunto no quiero multiplicar palabras, es demasiado feo, o quizá porque a mí también me tocó cargar con un calumniador, así que me limitaré por ahora, a recitarles este verso anónimo:

¿Puede una gota de lodo
sobre un diamante caer,
puede también de ese modo
su fulgor oscurecer?

Pero aunque el diamante todo
se encuentre de fango lleno,

no perderá ni un instante
el valor que lo hace bueno.

¡Y ha de ser siempre diamante
por más que lo manche el cieno!

Yo lo vi injustamente en la prisión. "Y el profeta Jeremías estaba preso en el patio de la carcel que estaba en la casa del rey de Judá. Porque Sedequías rey de Judá lo había puesto preso" (Jeremías 32:2, 3).

Me identifiqué con el siervo de Dios cuando, abatido y descorazonado, trataba de abandonar el oficio de profeta; y aunque ahora considero que esas palabras acusatorias en contra del Señor son demasiado fuertes, en aquel momento las consideré apropiadas y las usé: "Me sedujiste, oh Jehová, y fui seducido; más fuerte fuiste que yo, y me venciste; cada día he sido escarnecido, cada cual se burla de mí" (Jeremías 20:7). En la lengua original, el significado es realmente crudo: "Me sedujiste, oh Jehová..." Es como acusar a Dios de un engaño de seducción, basado en el poder de su superioridad divina; pero así me sentía yo: Me llamaste para algo sublime, me enseñaste una cosa y ahora me has dado otra. ¡Dios, me has traicionado!

Y dije: "No me acordaré más de él, ni hablaré más en su nombre..." No tenía yo mejor manera de decirlo. En otras palabras: ¡Hasta aquí llegué! ¡Termina de una vez y mándame la muerte! ¡No seguiré siendo un ministro ni un nada! ¡Se acabó! (Jeremías 20:9).

Tomar esta determinación fue lo que me hizo tocar fondo. ¿Podría yo abandonar todo lo que realmente era? Ganaría el diablo aquella batalla?

Jeremías dijo: "No obstante, había en mi corazón como un

fuego ardiente metido en mis huesos; traté de sufrirlo, y no pude".

En aquel instante, la inmunda y pestilente celda se iluminó. Yo no recuerdo qué hora era, ni qué estaban haciendo los otros prisioneros. Me puse de pie, pues un poder celestial había entrado en mi cuerpo. Repetí estas palabras, que tuvieron un eco inconfundiblemente sobrenatural: "Más Jehová está conmigo como poderoso gigante; por tanto, los que me persiguen tropezarán, y no prevalecerán; serán avergonzados en gran manera, porque no prosperarán; tendrán perpetua confusión que jamás será olvidada" (Jeremías 20:11).

A partir de ese momento pude ver todo con claridad: Dios me había llevado allí con una misión, una misión importante. Allí había muchas personas que necesitaban a Dios, muchas almas que salvar, y ese era mi nuevo campo de labor. Esa era ahora mi iglesia, mi nueva iglesia: "*La Iglesia de La Prisión del 5 de Luis Lazo*". Yo debía dejar de lamentarme; tenía que dejar de tenerme lástima y debía poner manos a la obra lo antes posible.

Dios me indicó claramente el plan de acción: Mi mente se había estado debilitando por mi estado de duda y rebeldía, pero todo cambió en un instante. En un abrir y cerrar de ojos yo había recuperado mi armonía emocional y espiritual, por medio de la presencia y el toque del Espíritu Santo. Entonces decidí que nunca abandonaría mi ministerio, pasara lo que pasara, y le rogué a Dios que me perdonara por mi falta de fe, por mi falta de confianza en él, y por lo mal que había tratado a mi Señor. Desde aquella fosa pestilente oré a Dios como lo hizo Jonás desde el vientre del gran pez, y le pedí las fuerzas para llevar mi ministerio hasta el final con humildad, honor y dignidad.

Entonces llamé al guardia del pasillo, que ya se estaba acercando al ver y oír lo que estaba sucediendo: "¡Pasillo¡" Él contestó con su voz chillona: "¿Qué está pasando aquí?" Entonces le dije: "Lo que está pasando aquí es que Dios se ha manifestado en este lugar, y él no quiere que estemos en esta condición; lo que está pasando aquí es que nos estamos pudriendo dentro de toda esta inmundicia. Lo que está pasando aquí es que aunque somos presos no somos bestias; lo que está pasando aquí es que necesitamos limpiar este lugar, bañarnos y cambiarnos de ropa, si no muy pronto vamos a tener una epidemia en este lugar, que va a costarle más caro a tu revolución en médicos y medicinas que si nos dejan usar agua y jabón".

Pasillo realmente estaba atemorizado, y muy nervioso por la luz que vio, similar a un relámpago, y por la estentórea voz que había escuchado. Los compañeros de celda estaban atónitos y cada uno trataba de darle una explicación; pero ellos mismos no podían explicar el fenómeno que habían presenciado. Yo no tenía tiempo que perder, ahora era un hombre con una misión y debía cumplirla. Así que le dije: "Si quieres, más tarde te explico mejor; pero ahora por favor tú debes ayudarnos para que podamos tener la higiene que necesitamos.

—Yo no puedo autorizarles el baño ni abrir la celda para limpiar —contestó Pasillo—, pero voy a hablar con el sargento que está a cargo.

No sé qué le dijo al sargento, pero no mucho tiempo después el mismísimo sargento G. se presentó a inspeccionar el lugar. Entonces dio órdenes de que nos permitieran limpiar la celda y que se nos dieran dos mudas de ropa interior, uniformes y botas nuevas. Antes de irse, me llamó y discretamente me dijo: "Yo sé quién eres, y sé que eres gente buena. Yo conozco tu iglesia, y mi vecina Rosa Mezquía (este es su verdadero nombre; y ella ya duerme en Jesús) asiste a tu congregación. Esa mujer es la mejor persona que yo he conocido en mi vida. Se ha portado muy bien con nosotros durante la enfermedad de mi madre, y ayer precisamente me habló acerca de ti. Voy a dejar órdenes para ayudarte. Desde hoy podrás bañarte todos los días, y esta celda se limpiará como todas las demás en el orden asignado. Y tan pronto pueda, te sacaré de aquí".

Le di las gracias al sargento y oré en silencio por él. Dios lo recompense por lo que hizo por mí y por otros después de mí. Pero en una forma muy especial, ¡Dios bendiga la memoria de Rosa y a toda su familia! Siempre guardaré esta vivencia con gratitud en mi corazón. La vida cristiana y de servicio abnegado de un miembro de mi iglesia tocó al sargento G. Él hizo mucho por mí, y después de su conversión en secreto, siguió siendo una ayuda para la iglesia subterránea de la prisión.

Un buen testimonio cristiano puede tocar el corazón de cualquier persona, no importa quién sea, ni para quien trabaje, y la bendición puede alcanzar a quien menos esperamos en el momento más oportuno.

LA ANTORCHA

"Tenemos también la palabra profética más segura, a la cual hacéis bien en estar atentos como a una antorcha que alumbra en lugar oscuro, hasta que el día esclarezca y el lucero de la mañana salga en vuestros corazones" (2 Pedro 1:19).

"Diciendo y haciendo, ¿oyeron muchachos? Vamos a limpiar toda esta basura y vamos a ponernos decentes, pues hoy tendremos una importante reunión, cuando la casa esté limpia y ordenada", dije con una voz que expresaba confianza. Trabajamos durante más de dos horas, y al final todo quedó limpio. Hasta conseguimos que nos trajeran Pinaroma, un desinfectante con aroma a pinos, que transformó el ambiente en algo más tolerable.

Una vez que todo estuvo limpio y ordenado, invité a los que quisieran que se sentaran en círculo, y les dije: "Les voy a hablar de un presidiario cuya historia está en la Biblia". Poco a poco todos se unieron al círculo; al principio tal vez por no tener algo mejor que hacer, pero pronto todos sin excepción estaban muy interesados en el tema. Uno de los "hermanos" de la nueva "iglesia", a quien llamaremos Gravarán, el más burlón del grupo, me dijo:

—¿Cómo es posible que en la Biblia, un libro que solamente habla de la vida de los santos, se hable de un presidiario como yo?

—Buena pregunta, hermano Gravarán —le dije—. Aunque no tengo una Biblia en mis manos, voy a mencionarles lo que la

Biblia es, y lo que dice de sí misma — y seguí, explicándoles—: La Biblia es la revelación de Dios al hombre; contiene 66 libros encuadernados en un solo tomo. De esos libros, 2 son principalmente históricos, 21 son mayormente proféticos, 21 son cartas, y dos son principalmente poéticos. Las Sagradas Escrituras, como también la llamamos, contienen relatos reales sobre la vida de personas reales; muchas hicieron cosas muy buenas y admirables, y otras hicieron cosas realmente malas. Si solamente presentara las cosas positivas de estas personas, no sería un libro auténtico y confiable. Debemos aceptar que ningún ser humano es perfecto; el único perfecto es Dios. Por lo tanto, cuando la Biblia habla de seres humanos, los presenta tales como son: con sus virtudes y defectos. Aunque la Biblia fue escrita por lo menos por 36 autores, entre los cuales había reyes, agricultores, científicos, generales, pescadores, ministros, sacerdotes, un médico y un cobrador de impuestos, guarda una coherencia extraordinaria. A pesar de los diferentes estilos de escritura, hay una armonía que recorre todos sus libros. Aunque los libros de la Biblia fueron escritos en un lapso de unos 1.600 años, se la puede leer como un solo libro. Guarda una profunda unidad, porque Dios es su autor.

—¿Cómo pudo ser esto posible? —preguntó dudoso Alejandro, un hombre canoso que en sus buenos años había sido profesor de literatura de escuela secundaria, pero que entonces cumplía una doble sentencia por "diversionismo ideológico" y "prácticas homosexuales".

—Hermano Alejandro, esta excepcional unidad de pensamiento pudo alcanzarse en una obra tan grande como la Biblia únicamente porque fue el mismo Espíritu quien inspiró a sus autores. Ellos no escribieron lo que les vino en ganas: "Porque nunca la profecía fue traída por voluntad humana, sino que los santos hombres de Dios hablaron siendo inspirados por el Espíritu Santo" (2 Pedro 1:21).

—¿Quiere decir que el Espíritu Santo, ese que usted dice, les dictó palabra por palabra a estos más de 36 autores que escribieron la Biblia? —volvió a preguntar Alejandro, vivamente interesado.

—Entendamos este aspecto correctamente —contesté—, porque es bueno entender las cosas bien desde un principio: Dios les daba a los profetas y escritores revelaciones y sueños, ellos tomaban el pensamiento claro de la voluntad de Dios y entonces escribían en su propio lenguaje humano y en su idioma lo que les era inspirado. El Espíritu Santo también ayudaba al escritor a expresar correctamente el pensamiento, para que el mensaje divino se comunicara correctamente. La tarea de los escritores bíblicos era muy grande, ellos tuvieron la gran responsabilidad de hablar en el nombre del Creador del universo. Podríamos resumir el proceso diciendo que el Espíritu revelaba a los profetas lo que Dios quería que supieran, para que ellos a su vez lo comunicaran al pueblo, y luego los guiaba en la proclamación de ese mensaje. Algunos hablaron el mensaje, otros escribieron la Palabra, y la forma escrita llegó a ser lo que hoy conocemos como las Sagradas Escrituras.

A esa altura de la clase bíblica, no volaba ni una mosca. Entonces continué:

—Les voy a mencionar algunos ejemplos claros: David, el profeta y rey dijo lo siguiente: "El Espíritu de Jehová ha hablado por mí, y su palabra ha sido en mi lengua" (2 Samuel 23:2). Jeremías profeta escribió: "Me dijo Jehová: He aquí he puesto mis palabras en tu boca" (Jeremías 1:9).

—Pero, ¿qué parte de la Biblia es inspirada? —insistió Alejandro.

Entonces repetí de memoria lo que le escribió el apóstol Pablo a Timoteo: "Toda la Escritura es inspirada por Dios, y útil para enseñar, para redargüir, para corregir, para instruir en justicia, a fin de que el hombre de Dios sea perfecto, enteramente preparado para toda buena obra" (2 Timoteo 3:16, 17).

—Esto es lo que yo necesito, ser instruido para buenas obras —dijo Nicolás, un descendiente de ruso que purgaba una condena de 35 años por haber matado con sus propias manos al amante de su madre, quien era al mismo tiempo su jefe de trabajo el día que los sorprendió juntos al llegar a su propia casa. Sacudiendo la cabeza, continuo—: Si yo hubiera conocido algo así, tal vez hoy no estaría aquí. Pero como nunca supe si Dios existe o no, crecí como un animal feroz, aprendí a defenderme de quien me atacaba y a odiar a los que son más fuertes que yo. Eso me lo enseñó el viejo Slovasevich antes de morir electrocutado. ¡Y luego por culpa de la podenca de mi madre, que se puso de parte del muerto, y declaró en mí contra el día del juicio, aquí estoy!

—Todo eso puede ser cierto, hermano Nicolás —repliqué—, pero Dios está dispuesto a pasar por alto los tiempos de nuestra ignorancia, y a recibirnos como hijos amados. Aprende esto de memoria: "Dios es amor".

—¿Amor? —interrumpió Almansa, a quien yo consideraba el más cínico del grupo. Parecía que había leído mucho pero aprendido muy poco; siempre intentaba retorcer todo lo que los demás decían—. Yo leí un libro del gran autor Vargas Vila acerca de lo que realmente es el amor. Allí, él dice: "Teme al amor como a la muerte. Él es la muerte misma. Por él nacemos y por él morimos. ¡Seamos fuertes para vivir sin él! El amor es el alfa y la omega; el principio y el fin de la existencia. Es la maldición".

Y repitió el texto de tal manera que jamás se me olvidó por lo retorcido del concepto; más tarde corroboré que efectivamente había leído el libro y que tenía una magnífica memoria (José M. Vargas Vila, *Ibis*, p. 14).

—Así que si Dios es amor, yo preferiría mantenerme lo más lejos posible de él —remató el concepto.

Ya yo estaba listo a rebatirle, cuando noté que el hombre estaba quebrantado; entonces decidí escucharlo, y permanecí en silencio:

—Yo amé a una mujer y la amé más que a mí mismo, pero ella no me correspondió ni me respetó. Era un miembro respetado del Partido Comunista, y aunque tenía mis reservas con el sistema de gobierno, nunca las expresé, pues me estaba yendo bien y prefería ir a favor de la corriente. Era administrador de la Empresa de Transportes Ferroviarios Regionales, tenía una buena casa, un automóvil a mi disposición, pagado por la empresa, y otros beneficios. Pero mi dilema comenzó cuando decidieron mandarme a cumplir una "misión internacional" en Angola, África. Allá las cosas no estaban muy bien. Yo no era soldado, sino encargado de entrenar a los cuadros políticos. Pero los odiados cubanos éramos blanco de ataques casi a diario. Los mismos individuos que estaban trabajando a tu lado como amigos durante el día, podían ser los que en la noche te asesinaran. Y en muchos casos se descubrió que algunos ignorantes se comían ciertas partes de los cuerpos de los cubanos asesinados, porque según sus tradiciones así serían valientes y victoriosos como ellos.

Cuando dijo esto último, se escuchó una risa estentórea del grupo que venía escuchando a Almansa con reverente atención. Entonces les pedí que hicieran silencio para que continuara con su relato.

—Me enfermé de los nervios. No podía dormir. Temía que me envenenaran: me aseguraba que alguien comiera los alimentos antes de que yo los pusiera en mi boca. Vivía en constante zozobra. Pero no podía rajarme. Así pasé casi dos años, durante los cuales vi a mi esposa solamente una vez. Pero un día sucedió algo inesperado: recibí una llamada telefónica oficial de Cuba. Era de parte del Secretario General del Partido Provincial, quien me dijo que tenía que volar de regreso a la isla inmediatamente. Al aterrizar en el Aeropuerto Internacional José Martí de Rancho Boyeros, ya me estaban esperando dos miembros del buró político. Me dijeron que no podría llegar a mi casa y que iríamos directo a las oficinas del partido. La reunión era urgente e importante. Me preguntaba cuál sería la razón de tanto misterio. Entonces, con mucha parsimonia, el secretario general me dijo: "Tenemos información confidencial de que tu esposa te está traicionando". El mundo se me vino abajo; estaba por desplomarme cuando me lanzó la recomendación: "Tienes que divorciarte de ella antes de regresar a Angola; no es aceptable que un miembro del partido viva con una mujer adúltera".

Cuando dijo esto, uno de los del grupo gritó furioso: "Todas las mujeres son iguales". Los otros, que venían escuchando con atención, le pidieron que se callara para que Almansa continuara con la historia. Y continuó:

—Yo iba a empezar a lamentarme, cuando escuché algo que me pareció interesante: "Si no te divorcias inmediatamente de tu mujer, nos veremos obligados a expulsarte deshonrosamente de las filas del Partido, y por lo tanto pierdes tu misión internacional". Entonces me dije: Esta es mi oportunidad de salir de todos mis problemas juntos. Si es verdad que mi mujer me engaña, ¿qué sentido tiene que siga con ella? Pero si les digo que no me voy a divorciar y eso me libera de Angola y del Partido, me salgo de todos los líos de una buena vez. Así que fingiendo estar muy ofendido, los traté de calumniadores y perversos: "¡Mi esposa jamás haría algo así! ¡Estos son puros cuentos y chismes! Y tal fue mi "enojo" que todos los compañeros quedaron convencidos de que yo era el perfecto "traicionado aguantador". Al siguiente día me comunicaron que mis sanciones incluían mi remoción del núcleo del Partido, me retiraron el carnet y me dijeron que aunque conservaría mi trabajo en la empresa, no podría continuar como administrador. Pero eso sí, se me respetaría mi salario histórico.

—¿Y cómo fue que viniste a parar acá? —preguntó entonces el más impaciente del grupo. Hubo un silencio prolongado, Almansa respiró hondo, como no queriendo recordar aquellos días, y continuó— Para decir la verdad, me sentí aliviado, no tendría que regresar al suplicio de Angola. Me había quitado de encima el compromiso con el Partido, y tan pronto como fuera prudente me divorciaría de la traidora. Y así fue. A los cuatro meses puse la demanda de divorcio. Las cosas aparentemente me habían salido bien por primera vez en mucho tiempo… hasta que alguien me trajo una noticia que me metió el diablo en el alma: Mi esposa en efecto había tenido relaciones con otro hombre sin que yo lo hubiera notado, aun mucho tiempo antes de que yo me fuera para la famosa misión internacional. Pero lo más difícil de creer, aunque ahora me lo explicaba todo claramente, era que ese otro hombre era nada menos que el Secretario General del Partido. También me informaron del lugar donde acostumbraban a encontrarse y la hora aproximada.

—Yo estaba lastimado en mi amor propio, resentido… —continuó— y lleno de rabia preparé mi plan. Conservaba la misma pistola que me asignaron cuando fui a Angola. Así fue que hecho una furia y dispuesto a todo, me presenté en el lugar, los encontré juntos y los ultimé a balazos. En el día del juicio me condenaron a treinta años de privación de libertad por el delito de asesinato con premeditación y alevosía. Pero lo que más he lamentado es que en mi rencor gasté todas las balas en ellos, y no dejé una para esta cabeza que no hace más que girar a una velocidad espantosa. ¡Y aquí estoy, hecho pedazos! ¡Siento como que tengo una rata dentro que me come el pecho! Vivo tratando de olvidar lo que no puedo olvidar. ¡Pero ellos tuvieron la culpa! ¡Solo ellos! ¡Se burlaron de mí! ¡No me hable nada del amor!”

Cuán fácil es juzgar a la gente por las apariencias, allí delante de mí tenía a un hombre a quien desde un principio juzgué severamente como "el más cínico del grupo". Estaba todo contraído, apretando los dientes, y con los puños crispados; pero pude leer en su semblante que él no era otra cosa que un victimario convertido en víctima, un ser humano que necesitaba ayuda. Yo no podría jamás justificar sus acciones; un crimen nunca tiene justificación. Pero este convicto era otro prisionero de Satanás, quien se goza en tomar a personas que en otras circunstancias hubieran podido ser gente buena, y hasta una bendición para sus congéneres, para incitarlos a cometer acciones espantosas que les pesarán por el resto de sus vidas.

En aquel momento me sentí lleno de compasión, entendí mejor los motivos de Dios al dejarme caer en aquella fosa. Allí había una obra para hacer, y aunque en aquellos momentos solo tuve una vislumbre de lo que podría pasar, pues no tenía una idea de todas las grandes cosas que Dios quería hacer en aquel lugar con y por aquella pobre gente, oré en silencio. Dios oyó mi oración y sentí que mis mejores habilidades pastorales comenzaban a aflorar.

Entonces las palabras comenzaron a fluir, no de mis labios sino de muy adentro, y llamé hermano a aquel homicida. Pero ya no como una estrategia para lograr meramente un cambio entre la gente de aquella celda; lo llamé hermano de corazón, porque sentí que era un hijo de Dios igual que yo, alguien que en medio de su arrebato de violencia solo estaba clamando por ayuda. Y no me equivoqué, porque cuando escuchó mis palabras, que no eran realmente mis palabras, sino una mezcla de textos bíblicos que estaban acumulados en mi memoria, mezclados con pensamientos de cierta escritora que impactó mi formación desde la niñez, comenzó a asentir y hubo un cambio substancial en su semblante.

—Hermano Almansa, y hermanos todos, el verdadero significado de la palabra amor no se somete a la interpretación filosófica o poética de cualquier escritor arrebatado por las musas, que no está comprometido con los fundamentos de la verdad ni de la dignidad humana. Tal es el caso del escritor que mencionaste, José María Vargas Vila. No es mi intención juzgar su obra literaria, que fue muy controversial por cierto, ni sus intenciones; solo quiero rechazar sus conceptos en esta errónea interpretación acerca del amor. No llamemos amor a la básica atracción física que puede existir entre dos seres humanos. No llamemos amor a una pasión antojadiza que persigue su propia complacencia. No llamemos amor a ese sentimiento a veces enfermizo que solamente persigue lo egoísta. ¿Quieren saber lo que es verdaderamente el amor?

Varios asintieron a viva voz y otros con las cabezas, entonces les hable con una tremenda inspiración: "'El amor es sufrido, es benigno; el amor no tiene envidia, el amor no es jactancioso, no se envanece; no hace nada indebido, no busca lo suyo, no se irrita, no guarda rencor; no se goza de la injusticia, mas se goza de la verdad. Todo lo sufre, todo lo cree, todo lo espera, todo lo soporta. El amor nunca deja de ser' (1 Corintios 13:4-8). El amor al que me estoy refiriendo cuando hablo de Dios, no es el amor erótico que puede existir entre hombre y mujer; no es tampoco el amor filial que existe entre hermanos y familiares. Me refiero al ágape divino, que es la expresión más sublime del amor, porque es la esencia misma del Ser supremo, es la descripción más perfecta del Creador del universo. La Biblia dice que "Dios es amor", no meramente que siente amor o que conoce el amor. "Dios es amor; y el que permanece en amor, permanece en Dios, y Dios en él" (1 Juan 4:16).

—Hermanos —replicó en ese momento Máximo, el francmasón—, deseo explicarles que Dios, el Creador es "el Divino Arquitecto del Universo" ¿Verdad?

—¡Muy bien dicho, hermano Máximo, Dios es el proyectista y hacedor de todo lo que vemos en la naturaleza! De hecho, la naturaleza es el segundo libro de Dios, es lo que los teólogos llaman revelación natural: "La naturaleza y la revelación a una dan testimonio del amor de Dios. Nuestro Padre Celestial es la fuente de vida, sabiduría y gozo. Mirad las maravillas y bellezas de la naturaleza. Pensad en su prodigiosa adaptación a las necesidades y a la felicidad, no solamente del hombre, sino de todos los seres vivientes. El sol y la lluvia que alegran y refrescan la tierra; los montes, los mares y los valles, todos nos hablan del amor del Creador, Dios es el que suple las necesidades diarias de todas sus criaturas. Dios es amor está escrito en cada capullo de flor que se abre, en cada tallo de la naciente hierba. Los hermosos pájaros que con sus preciosos cantos llenan el aire de melodías, las flores exquisitamente matizadas que en su perfección lo perfuman, los elevados árboles del bosque con su rico follaje de viviente verdor, todos atestiguan el tierno y paternal cuidado de nuestro Dios y su deseo de hacer felices a sus hijos" (Elena G. White, *El camino a Cristo*, pp. 8-10.).

—¡Usted tiene más palabras que Vargas Vila! —exclamó Almansa, a quien antes yo consideraba un cínico

Este fue el primer "elogio" que escuché en la prisión, al que objeté: "Yo no estoy seguro acerca de eso, sé que no tengo nada en común con él. Las palabras que yo les estoy repitiendo no son mías, son parte de la Palabra inspirada de Dios; yo lo único que hago es estudiarla y enseñarla a otros".

—¿Entonces usted viene siendo como un maestro de la religión? —preguntó Nicolás.

Sonreí y les dije que era un pastor y les expliqué en qué consiste el ministerio de un pastor. Pero de todas maneras, desde ese momento todos empezaron a llamarme "maestro".

¿QUÉ SABEN DE LA VIDA LOS QUE NO HAN SUFRIDO?

"He aquí viene el soñador"... (Génesis 37:19).

Yo me sentía admirado y respetado por lo presos, y agradecido a Dios, pero no porque me llamaran maestro, o porque me sintiera más seguro en aquel peligroso y siniestro lugar. Sino porque en el breve tiempo de mi ministerio en la prisión, ya el Espíritu estaba obrando para bien en aquel grupo de presidiarios.

Todo ser humano necesita experimentar cierto grado de estima propia, que por razones obvias rara vez está presente en la vida de los convictos, especialmente los que están cumpliendo condenas por "causas de sangre", robos y otros tipos de crímenes y delitos crueles. Es muy frecuente encontrar entre ellos, al menos esa fue mi experiencia, a personas tan endurecidas y con conciencias tan encallecidas que parecen no sentir ya angustia por su propia condición, ni preocupación alguna por el dolor ajeno. Pero eso es solo una apariencia.

La famosa expresión, cuasi filosófica, que la mayoría de ellos repite: "¿Qué saben de la vida los que no han sufrido?", los coloca imaginariamente en un nivel diferente y hasta superior al de los demás mortales. Es la forma de decir a los demás: ¡No tengo que explicar mi situación! ¡Tú no estás capacitado para entenderme! Es solamente una manera de evadir el encuentro con la realidad de los errores cometidos. Y esta frase puede ser real... pero solamente en el ambiente de una subcultura carcelaria. Hay que tomar en cuenta que ninguna persona se levanta de su crisis a menos que toque el fondo, rebote, y decida subir a la superficie para recomenzar una vida diferente. Yo sabía que lo primero que necesitaban era entender el significado de la palabra aceptación: Necesitaban aceptar su condición, necesitaban aceptar su realidad, aceptar el mundo que los rodeaba, y saber que Dios estaba dispuesto a recibirlos tal como estaban. Muchas veces la conciencia de culpa nubla el entendimiento y no deja que el pecador, atribulado por su maldad, acepte que hay perdón y un camino de regreso hacia el bien.

Aquellas personas, más los otros internos de la sección cuatro con quien tuvimos que convivir, no eran más que un grupo de seres humanos, en definitiva también criaturas del Padre Celestial, que habían sido víctimas. Claro, víctimas tal vez de ellos mismos, de sus diversas circunstancias, pero definitivamente víctimas del enemigo del Creador, que trata de borrar la imagen y la semejanza de Dios en cada persona. La especialidad de Satanás, el diablo, es tomar a los hijos de Dios y transformarlos en monstruos. Pero la especialidad de Jesucristo es tomar esos monstruos y convertirlos en hijos e hijas amados de Dios.

Intuí que era el momento oportuno para presentar a uno de los grandes héroes de la historia sagrada, de quien recibirían la inspiración que yo mismo recibí. Quería que conocieran a ese preso cuyo ejemplo podía moralizarlos y ayudarlos a pensar de una manera noble y buena, quizá por primera vez en la vida.

Entonces retomé la narración que les había ofrecido al principio sobre el "presidiario bíblico". Obviamente, el Espíritu la utilizó muy poderosamente como el primer punto de acercamiento: Ciertamente había algo en común entre José, el hijo de Jacob y nosotros. ¿No éramos acaso todos presos? Creí que sería sabio ir de lo conocido a lo desconocido. Y les hablé más o menos así: "Allá lejos... en el oriente, y hace mucho tiempo, existió un hombre llamado Jacob, quien tuvo doce hijos, producto de una familia muy singular, integrada por el patriarca, sus dos esposas, Lea y Raquel, y sus dos siervas, Bilha y Zilpa. Lea le dio a Rubén, el primogénito, Simeón, Leví, Judá, Isacar y Zabulón. Raquel le dio a José y Benjamín. Los hijos de Bilha, sierva de Raquel, fueron Dan y Neftalí. Y los hijos de Zilpa, sierva de Lea, Gad y Aser. Y vivían en Canaán, la tierra donde había habitado su padre Isaac.

Entonces les relaté en mis propias palabras lo que aparece en Génesis 37:2 al 11:

> Esta es la historia de la familia de Jacob: José, siendo de edad de diecisiete años, apacentaba las ovejas con sus hermanos; y el joven estaba con los hijos de Bilha y con los hijos de Zilpa, mujeres de su padre; e informaba José a su padre la mala fama de ellos. Y amaba [Jacob] a José más que a todos sus hijos, porque lo había tenido en su vejez; y le hizo una túnica de diversos colores. Y viendo sus hermanos que su padre lo amaba más que a todos sus hermanos, le aborrecían, y no podían hablarle pacíficamente. Y soñó José un sueño, y lo contó a sus hermanos; y ellos llegaron a aborrecerle más todavía. Y él les dijo: Oíd ahora este sueño que he soñado: He aquí que atábamos manojos en medio del campo, y he aquí que mi manojo se levantaba y estaba derecho, y que vuestros manojos estaban alrededor y se inclinaban al mío. Le respondieron sus hermanos: ¿Reinarás tú sobre nosotros, o señorearás sobre nosotros? Y le aborrecieron aun más a causa de sus sueños y sus palabras. Soñó aun otro sueño, y lo contó a sus hermanos, diciendo: He aquí que he soñado otro sueño, y he aquí que el sol y la luna y once

estrellas se inclinaban a mí. Y lo contó a su padre y a sus hermanos; y su padre le reprendió, y le dijo: ¿Qué sueño es este que soñaste? ¿Acaso vendremos yo y tu madre y tus hermanos a postrarnos en tierra ante ti? Y sus hermanos le tenían envidia, mas su padre meditaba en esto.

Continué parafraseando el resto del capítulo (vers. 12 al 36): "Luego de un tiempo fueron sus hermanos a apacentar las ovejas de su padre a un lugar llamado Siquem. Y Jacob le pidió a su hijo José que fuera a ver cómo estaban sus hermanos y las ovejas. Y como no los encontró en Siquem, se fue a otro sitio, llamado Dotán. Pero cuando los hermanos vieron que José venía a lo lejos, antes que llegara conspiraron para matarlo. Y dijeron el uno al otro: 'He aquí viene el soñador. Ahora pues, venid, y matémosle y echémosle en una cisterna, y diremos: Alguna mala bestia lo devoró; y veremos qué será de sus sueños' (vers. 19, 20). Pero el hermano mayor, Rubén, los persuadió a que no lo mataran sino que lo tiraran en un pozo en el desierto, que no tenía agua. En realidad, Rubén pensaba rescatarlo en algún momento. Entonces desnudaron a José, lo tiraron al pozo, y ahí se pusieron a comer pan. Pero luego de un rato vieron una compañía de mercaderes ismaelitas que venían de Galaad, con camellos cargados de aromas, bálsamo y mirra, que iba rumbo a Egipto. Entonces Judá les sugirió a sus hermanos que vendieran a José a los ismaelitas, para no tener que responsabilizarse por su muerte. Y todos asintieron. Finalmente, cuando los mercaderes llegaron, sacaron a José del pozo y lo entregaron a los ismaelitas por veinte piezas de plata. Así fue como José fue a parar a Egipto.

"Pero la hicieron aun peor: Tomaron la túnica de José, degollaron un cabrito, tiñeron la túnica con sangre, y se la llevaron a su padre, y dijeron: 'Esto hemos hallado; reconoce ahora si es la túnica de tu hijo, o no'. Y él la reconoció, y dijo: 'La túnica de mi hijo es; alguna mala bestia lo devoró; José ha sido despedazado'. Entonces Jacob rasgó sus vestidos, y puso cilicio sobre sus lomos, y guardó luto por su hijo muchos días. Y se levantaron todos sus hijos y todas sus hijas para consolarlo; mas él no quiso recibir consuelo, y dijo: Descenderé enlutado a mi hijo hasta el Seol. Y lo lloró su padre" (vers. 32-35).

¡Cuántos casos hemos visto de padres que tienen que llorar por las desgracias de sus hijos! Muchas veces se culpa solamente a los hijos por sus desatinos. Pero, ¿qué decir de las responsabilidades de los padres? Generalmente las acciones de los hijos son una continuidad de las acciones de los padres; y los desaciertos de los hijos no son otra cosa que una reacción directamente proporcional a las torpezas de los progenitores.

Antes dije que la familia de Jacob era muy singular: Un hombre que tuvo doce hijos con cuatro mujeres. Podría parecer divertido, pero los frutos del mal generalmente no son dulces ni apacibles.

> El pecado de Jacob y la serie de sucesos que había acarreado no dejaron de ejercer su influencia para el mal, y ella produjo amargo fruto en el carácter y la vida de sus hijos. Cuando ellos llegaron a la virilidad, cometieron graves faltas. Las consecuencias de la poligamia se revelaron en la familia. Este terrible mal tiende a secar las fuentes mismas del amor, y su influencia debilita los vínculos más sagrados. Los celos de las varias madres habían amargado la relación familiar; los niños eran contenciosos y contrarios a la dirección, y la vida del padre fue nublada por la ansiedad y el dolor (Elena G. White, *Patriarcas y profetas*, pp. 208, 209).

El capítulo 37 del libro de Génesis termina apuntando al

comienzo de la traumática y casi fantástica experiencia de José en Egipto; este último versículo anuncia en pocas palabras una enorme desgracia en la vida del joven: "Y los madianitas lo vendieron en Egipto a Potifar, oficial de Faraón, capitán de la guardia" (Génesis 37:36).

Yo había escogido el relato de José por su gran dramatismo y por las lecciones que representaba para aquel grupo de presos. Aunque ahora no recuerdo todas mis explicaciones, hay varios conceptos que hasta hoy me conmueven. Permítame compartir con mis lectores actuales parte de lo que prediqué alli, recurriendo ahora a la Biblia y al hermoso libro ya citado: *Patriarcas y profetas.*

Llegar a ser esclavo es una suerte más temible que la misma muerte. La vida carece de significado cuando no hay libertad. Los seres humanos fuimos creados como entes libres, fuimos dotados con el poder de tomar decisiones propias.

Lo que le sucedió a José fue una enorme injusticia. A causa de la superioridad numérica y, tal vez, a la mayor fuerza física, el jovencito fue reducido, sometido, obligado y abusado físicamente por sus propios hermanos. Fue privado de su libertad sin merecerlo, y fue condenado a la esclavitud, aunque merecía ser libre.

Dios no aprueba la actitud nefanda, ni las indignas acciones de los abusadores, ni de los esclavistas. Todo aquel que, basado en su superioridad física, numérica o en el poder de las armas, controla la vida y priva de sus derechos a alguien, tendrá que dar cuentas algún día ante el juicio de los humanos, ante la corte de su propia conciencia, y fundamentalmente ante la magistratura del universo, a la que no se puede burlar ni engañar con falsas evidencias.

Hago un paréntesis para dirigirme al lector actual: Si usted tiene una posición de influencia y poder, dondequiera que fuere, en el ámbito político, social o religioso, lo invito a ser justo y respetuoso de la libertad ajena. Ser justo da tranquilidad al alma, paz a la existencia y suaviza la almohada. Y sobre todo lo demás, provoca sonrisas en el cielo.

Si usted ha practicado o practica el abuso: ¡Por favor, deténgase! ¡Todavía está a tiempo de rectificar su actitud! Ya sea que ejerza su violencia en el seno familiar o desde alguna posición privilegiada en el ámbito que se nos ocurra, mientras hay vida, puede haber oportunidad para un arrepentimiento sincero. No siga decidiendo usted por la vida ajena. No se inmiscuya en lo que hacen, dicen, comen, visten o piensan las personas que están bajo su autoridad. ¡Sus abusados seguramente se sentirán aliviados! Puede ser que usted piense que tiene razón para hacer lo que hace o lo que hizo, pero si sus semejantes han sido privados de sus derechos individuales o colectivos, no hay dudas: Sus acciones han sido motivadas por una filosofía errónea o una línea de pensamiento equivocada. Pero, por favor, no prolongue más la agonía, es tiempo de rectificar antes de que sea exageradamente tarde. Para muchos, quizá la actitud suya ya selló la desgracia para siempre; pero por amor de los que quedan, cambie. ¡No permita que su nombre sea recordado para siempre como una maldición!

José lloró amargamente y se entregó al dolor y a la desesperación, tal como lo hemos hecho muchos de nosotros en nuestra propia situación. Estar lejos de la familia, el hogar y el cariño paternal fue muy difícil. ¡Qué cambio de condición! ¡Pasar de hijo tiernamente querido a siervo menospreciado y desamparado! Solo y sin amigos, sin siquiera entender el idioma de sus amos. ¿Cuál sería su suerte en la extraña tierra? ¡Cuánto punza la incertidumbre en los días aciagos!

Pero para José, lo que pudo haber sido una completa tragedia, se convirtió en una bendición para él. El favoritismo de su padre había creado una situación difícil en el seno de la familia, y sus efectos se hacían ver en el carácter de José. Había en él una arrogancia y una autosuficiencia que ofendía a sus hermanos y quizá molestaba a las personas que se relacionaban con él. Algo que resultó muy valioso para José fue la educación religiosa que había recibido en el hogar. En medio de su desgracia, decidió ser fiel al Dios de sus padres. De niño mimado, se transformó en un hombre sereno y valiente.

Aquel sermón sobre la vida de José fue el más largo de toda mi vida ministerial, pues estuve hablándole al grupo toda esa tarde y toda la noche, hasta que llegó el desayuno a la mañana siguiente. Yo me sentía muy asombrado, me parecía imposible ver aquellos endurecidos rostros, muchos de ellos bañados en lágrimas. Ninguno se durmió, todos estaban muy conmovidos. Y si mal no recuerdo, Gravarán, muy emocionado, exclamó: "Yo creo que esos mismos ángeles que ayudaron a ese Jacob y a José, fueron los que vinieron aquí mismo a ayudarte a ti, maestro, y nos están ayudando a todos nosotros también".

—De eso no te quepa dudas, hermano Gravarán, ellos están con nosotros —respondí.

Entonces elevé una plegaria silenciosa por todos los presentes y alabé interiormente: ¡Gracias, Señor, por lo que está pasando aquí con estos hombres! Después de esto, pretendí como que ya era hora de concluir; pero casi a coro protestaron: "Siga, no nos deje a medias. Queremos saber cómo termina la historia de José". Entonces me reanimé y retomé la palabra. Vayamos al próximo capítulo.

ESCLAVITUD Y PRISIÓN

"¿Cómo, pues, haría yo este grande mal, y pecaría contra Dios?" (Génesis 39:9).

Retomo ahora la historia de José que compartí con mis compañeros de prisión:

> Llevado, pues José a Egipto, Potifar oficial de Faraón, capitán de la guardia, varón egipcio, lo compró de los ismaelitas que lo habían llevado allá. Más Jehová estaba con José, y fue varón próspero; y estaba en la casa de su amo el egipcio. Y vio su amo que Jehová estaba con él, y que todo lo que él hacía, Jehová lo hacía prosperar en su mano. Así halló José gracia en sus ojos, y le servía; y él le hizo mayordomo de su casa y entregó en su poder todo lo que tenía. Y aconteció que desde cuando le dio el encargo de su casa y de todo lo que tenía, Jehová bendijo la casa del egipcio a causa de José, y la bendición de Jehová estaba sobre todo lo que tenía, así en la casa como en el campo. Y dejó todo lo que tenía en mano de José, y con él no se preocupaba de cosa alguna sino del pan que comía (Génesis 39:1-6).

José permaneció al servicio de su amo egipcio, Potifar, durante cerca de diez años, en los que fue un joven íntegro y respetuoso. Y dice la historia que Dios lo prosperó aun en la etapa de esclavitud. No importa la condición del ser humano, el que acepta al Señor, y lo recibe como Padre y Salvador, aunque esté preso o esclavo será un hijo de Dios, y nadie podrá despojarle de las bendiciones que su Padre Celestial tiene para él.

"La notable prosperidad que acompañaba a todo lo que se encargara a José no era resultado de un milagro directo, sino que su industria, su interés y su energía fueron coronados con la bendición divina. José atribuyó su éxito al favor de Dios, y hasta su amo idólatra aceptó eso como el secreto de su sin igual prosperidad. Sin embargo, sin sus esfuerzos constantes y bien dirigidos, nunca habría podido alcanzar tal éxito (*Patriarcas y profetas*, p. 216).

En el único lugar donde usted puede encontrar éxito antes que sacrificio, es en el diccionario. No importa las condiciones que le toque afrontar, ya sea que esté al frente de un negocio próspero en el país más desarrollado del mundo, preso en una miserable mazmorra, esclavo en una tierra desconocida o secuestrado por una guerrilla en medio de la selva, la integridad, la fe, la diligencia y el respeto a los demás han de producir buenos resultados con la bendición de Dios.

"La dulzura y la fidelidad de José cautivaron el corazón del jefe de la guardia real, que llegó a considerarlo más como un hijo que como un esclavo. El joven entró en contacto con hombres de alta posición y de sabiduría, y adquirió conocimientos de las ciencias, los idiomas y los negocios; educación necesaria para quien sería más tarde primer ministro de Egipto" (*Ibíd.*).

¡Pero no, no, no se apuren! Las cosas no fueron tan fáciles ni anduvieron tan rápido, y las pruebas no fueron sencillas. Yo siempre digo: ¡Bienaventuradas las desgracias cuando vienen solas! Generalmente, los problemas, como si se pusieran de acuerdo, se agrupan y nos atacan en pandillas.

Y allí, a José, en aquel momento de su jornada, se le presentó una de las dificultades más grandes de su vida. El libro de Génesis lo describe así: "Y era José de hermoso semblante y bella presencia. Aconteció después de esto, que la mujer de su amo puso los ojos en José, y dijo: Duerme conmigo. Y él no quiso, y dijo a la mujer de su amo: He aquí que mi señor no se preocupa conmigo de lo que hay en casa, y ha puesto en mi mano todo lo que tiene. No hay otro mayor que yo en esta casa, y ninguna cosa me ha reservado si no a ti, por cuanto tú eres su mujer; ¿cómo, pues, haría yo este grande mal, y pecaría contra Dios?" (39:6-9).

¡Qué complicación! Como si sus pruebas hubieran sido pocas, ahora se suma este aguijón. La fe y la integridad de José serían probadas en el crisol. La prueba de fuego se intensificaría. José analizó la difícil situación. Tenía ante sí dos opciones. Si cedía a la seducción tendría que vivir de allí en adelante una vida de encubrimiento y mentiras. Si se mantenía fiel a sus principios, tendría desgracia, prisión y quizá la muerte.

José decidió ser fiel. Decidió vivir como en la presencia de Dios. Él sabía que nada de lo que hacemos escapa al conocimiento de Dios. Ante su negación, la mujer no cejó en sus esfuerzos por hacerlo caer. Infatuada con el joven siervo, persistió sin resultados hasta que un día, estando solos, decidió llevar su obsesión hasta sus últimas consecuencias. La Biblia dice:

> Hablando ella a José cada día, y no escuchándola él para acostarse al lado de ella, para estar con ella, aconteció que entró él un día en casa para hacer su oficio, y no había nadie de los de casa allí. Y ella lo asió por su ropa, diciendo: Duerme conmigo. Entonces él le dejó su ropa en las manos de ella, y huyó y salió. Cuando vio ella que le había dejado su ropa en sus manos, y había huido fuera, llamó a los de casa, y les habló diciendo:

> Mirad, nos ha traído un hebreo para que hiciese burla de nosotros. Vino él a mí para dormir conmigo, y yo di grandes voces; y viendo que yo alzaba la voz y gritaba, dejó junto a mí su ropa y huyó y salió. Y ella puso junto a sí la ropa de José, hasta que vino su señor a su casa. Entonces le habló ella las mismas palabras, diciendo: El siervo hebreo que nos trajiste, vino a mí para deshonrarme. Y cuando yo alcé mi voz y grité, él dejó su ropa junto a mí y huyó fuera. Y sucedió que cuando oyó el amo de José las palabras que su mujer le hablaba, diciendo: Así me ha tratado tu siervo, se encendió su furor. Y tomó su amo a José, y lo puso en la cárcel, donde estaban los presos del rey, y estuvo allí en la cárcel (Génesis 39:10-20).

Así fue cómo José llegó a ser un presidiario. José sufrió por ser íntegro; pues la mala mujer que lo tentó, viéndose despreciada, se vengó, acusándolo de un pecado abominable que él no había cometido, haciendo que lo encerraran en una prisión.

Para ser sinceros, debemos aceptar el hecho de que lo más probable es que Potifar nunca se creyó la novela; él posiblemente sabía qué clase de mujer tenía en su casa. Si él hubiera creído la patraña, sin duda alguna José hubiera perdido la vida. Pero simplemente para salvar la "reputación de su familia", y sin tomar en cuenta la fidelidad, la laboriosidad, la modestia e integridad que su siervo había mostrado de manera uniforme, el amo lo abandonó al deshonor y a la vida penitenciaria. Su llegada a la cárcel es descrita por el salmista con una tinta muy severa: "Envió a un varón delante de ellos: A José, que fue vendido por siervo. Afligieron sus pies con grillos; en cárcel fue puesta su persona. Hasta la hora que se cumplió su palabra, el dicho de Jehová le probó" (Salmo 105:17-19).

> Pero el verdadero carácter de José resplandeció, aún en la oscuridad del calabozo. Mantuvo firmes su fe y su paciencia; los años de su fiel servicio habían sido compensados de la manera más cruel; no obstante, esto no lo volvió sombrío ni desconfiado. Tenía la paz que emana de una inocencia consciente, y confió su caso a Dios. No caviló en los prejuicios que sufría, sino que olvidó sus penas y trató de aliviar las de los demás. Encontró una obra que hacer, aun en la prisión. Dios le estaba preparando en la escuela de la aflicción, para que fuera de mayor utilidad, y no rehusó someterse a la disciplina que necesitaba. En la cárcel, presenciando los resultados de la opresión y la tiranía, y los efectos del crimen, aprendió lecciones de justicia, simpatía y misericordia que le prepararon para ejercer el poder con sabiduría y compasión (*Patriarcas y profetas*, p. 218).

Volvamos al relato bíblico: "Pero Jehová estaba con José y le extendió su misericordia, y le dio gracia en los ojos del jefe de la cárcel. Y el jefe de la cárcel entregó en manos de José el cuidado de todos los presos que había en aquella prisión; todo lo que se hacía allí, él lo hacía. No necesitaba atender el jefe de la cárcel cosa alguna de las que estaban al cuidado de José, porque Jehová estaba con José, y lo que él hacía, Jehová lo prosperaba" (Génesis 39:21-23).

Nuevamente, la buena conducta y la buena disposición abren el camino a José: su laboriosidad, su altruismo y su respeto hacia los demás le granjean la simpatía del encargado de la prisión quien, reconociendo los talentos y la responsabilidad del joven, lo pone como administrador de la cárcel, siendo él mismo un preso. ¡Esto pareciera increíble! Otra vez el esclavo convicto gana una posición de influencia en su medio ambiente; en medio de su desgracia, se anota otra victoria. Así fue y así será... y la historia se repetirá en todos los que sean como José.

La Biblia entonces relata un incidente que con el tiempo resultó una bendición para José. Dos funcionarios del rey de Egipto, el copero y el panadero del palacio, cayeron en la cárcel con José:

> Y ambos, el copero y el panadero del rey de Egipto, que estaban arrestados en la prisión, tuvieron un sueño, cada uno su propio sueño en una misma noche, cada uno con su propio significado.
>
> Vino a ellos José por la mañana, y los miró, y he aquí que estaban tristes, y el preguntó a aquellos oficiales de Faraón... diciendo: ¿Por qué parecen hoy mal vuestros semblantes? Ellos le dijeron: Hemos tenido un sueño, y no hay quien lo interprete. Entonces les dijo José: ¿No son de Dios las interpretaciones? Contádmelo ahora. Entonces el jefe de los coperos contó su sueño a José, y le dijo: Yo soñaba que veía una vid delante de mí, y en la vid tres sarmientos; y ella como que brotaba, y arrojaba su flor, viniendo a madurar sus racimos de uvas. Y que la copa de Faraón estaba en mi mano, y tomaba yo las uvas y las exprimía en la copa de Faraón, y daba yo la copa en mano de Faraón.
>
> Y le dijo José: Esta es su interpretación: los tres sarmientos son tres días. Al cabo de tres días levantará Faraón tu cabeza, y te restituirá a tu puesto, y darás la copa a Faraón en su mano, como solías hacerlo cuando eras su copero. Acuérdate, pues, de mí cuando tengas ese bien, y te ruego que uses conmigo de misericordia, y hagas mención de mí a Faraón, y me saques de esta casa. Porque fui hurtado de la tierra de los hebreos; y tampoco he hecho aquí por qué me pusiesen en la cárcel (Génesis 40:5-15).

El jefe de los panaderos había soñado con tres canastos llenos de manjares. En este caso, José interpretó que en tres días, el panadero sería sometido a la pena capital. Ambas predicciones se cumplieron, a los tres días, el rey hizo un banquete por su propio cumpleaños y restauró al copero a su cargo anterior. Al jefe de los panaderos condenó a la horca (ver Génesis 40:16-23).

Aunque en un principio el copero del rey había manifestado mucho agradecimiento a José por haberlo sacado de la incertidumbre de su sueño, y pudo ver su sueño y la interpretación cumplida totalmente, no se acordó de su benefactor. Y José tuvo que permanecer preso durante dos años más. Perdió las esperanzas que habían brotado en su corazón, y en medio de tantas pruebas y vicisitudes, tuvo que añadir otra espina, la tristeza que produce la ingratitud.

¿Por qué nos cuesta tanto a los seres humanos ser agradecidos? ¿Por qué nos olvidamos tan rápidamente de los actos de bondad y los bienes recibidos? No permitamos que esto suceda en nuestras vidas, reservemos un lugar en nuestro corazón para recordar y reconocer a las personas que nos han hecho bien en algún momento de la vida. Yo tengo "mi lista de gratitud". Es grande, porque he tenido un buen número de personas que me han hecho bien a mí y a mi familia. Y el que le hace bien a los míos, especialmente a mis hijos, tendrá mi gratitud para siempre: Yo creo firmemente que la deuda de gratitud es la única que jamás se paga. No seamos tardos ni perezosos para darnos cuenta de que algunos nos han amado y nos han hecho favores realmente significativos. Otros, quizá, han tenido simplemente algunas buenas acciones, pero la suma total nos va a revelar ¡que las acciones de la gente buena sobrepasan en mucho a las malas acciones que recibimos!

Este ejercicio psicológico y espiritual nos va a devolver en gran medida la confianza perdida en la humanidad. Nos daremos cuenta de que no todo el mundo está lleno de malas intenciones y mezquindad. No toda la gente anda por el mundo buscando con quien pelear y a quién hacerle daño gratuitamente. Yo agradezco a Dios por toda esa gente buena que sabe lo que es el amor, la simpatía y la empatía. Yo sé que encontraremos muchas veces en nuestro camino a esa pobre gente que no sabe, no puede o no quiere conducirse con bondad y respeto; pero cuando eso le suceda, recuerde las palabras del poeta Amado Nervo en "Si una espina me hiere":

Me aparto de la espina
pero no la aborrezco.
Cuando la mezquindad envidiosa
clava en mí los dardos de su inquina,
esquívase en silencio mi planta, y se encamina
hacia más puro ambiente
de amor y santidad.
¿Rencores? ¿De qué sirven?
¿Qué logran los rencores?
Ni restañan heridas
ni corrigen el mal.
Mi rosal tiene apenas tiempo para dar flores
y no prodiga savia
en pinchos punzadores.
Si pasa mi enemigo cerca de mi rosal,
se llevará las rosas
de más sutil esencia;
y si notara en ellas
algún rojo vivaz,
será de aquella sangre
que su malevolencia de ayer
vertió al herirme con encono cruel,
y hoy el rosal devuelve
trocada en flor de paz.

Mi lista de gratitud

Quisiera compartir con ustedes, como ejemplo, un fragmento de mi propia lista:

Nombre	**Motivo de agradecimiento**
Johnny y Clara Ramírez	....
Pedro e Isolina Novales	....
Eugenio y Mayda Jorge	....
Fernando Paulín	....
Julián Rumayor	....
Juan Puyol	....
Pedro y Amarilis Hernández	....
Robert W. Boggess	....

Lo invito a que haga y conserve una lista de gratitud; esta es una de las mejores medicinas para el alma. Y cuando se sienta triste o agraviado, cuando piense que está solo, o cuando el desaliento llame a su puerta, tome su lista y allí va a encontrar motivos para sonreír de nuevo, y deseará tener la oportunidad de hacer bienes a los que lo rodean. Y gracias a usted el mundo será un poquito mejor.

DE LA PRISIÓN AL PALACIO DE GOBIERNO

"Y dijo Faraón a sus siervos: ¿Acaso hallaremos a otro hombre como éste, en quién esté el Espíritu de Dios?" (Génesis 41:38).

—Maestro —preguntó Godofredo, en su mejor expresión vernácula—, ¿y cuántos años tuvo que "jalar" José en el "5" [la prisión] de Egipto?

Todos se rieron a gusto ante la forma de la pregunta. Godofredo era, a mi entender, el más "inocente" de todo aquel grupo. Siempre estaba contando los días que le faltaban en la prisión. No veía —decía él llorando— las santas horas de regresar a su finca en las montañas de Candelaria, para estar otra vez junto a su "vieja y a sus muchachos", para acostarse con las gallinas y levantarse con el canto del gallo. Era un campesino sin letras, ya pasada su mediana edad, fuerte como un toro pero más bravo, y cumplía una sentencia de 25 años. Llegó a la prisión precisamente por haber sido sorprendido en el acto de matar un toro "para alimentar a su familia", como él mismo a menudo bufaba encolerizado: "¡El torete era mío! ¡No se lo robé a nadie! ¡Yo no estaba vendiendo la carne! La estaba 'salando' para conservarla el año entero, tal como lo hicieron siempre mi padre y mi abuelo, para que mi mujer, mis hijos y mis nietos tuvieran que comer".

Bajo las leyes del gobierno, estaba, y sigue estando, prohibido sacrificar una res, aunque pertenezca a la persona. Y la sentencia en aquel entonces era de cinco años de privación de la libertad. Pero Godofredo, "buey con ropa", como lo llamaban en la prisión, en el primer mes de su llegada tuvo la desdicha de discutir con un guardia. Éste le pegó con la culata de su rifle, y Godofredo le quitó el rifle, lo derribó y le abrió la cabeza golpeándosela contra el piso. El guardia no sobrevivió; y Godofredo tuvo un nuevo proceso: le sumaron veinte años a su condena anterior. Entonces fue enviado a la Leonera, por ser considerado elemento peligroso. Y en realidad podía serlo si lo provocaban. Pero lo que más lo desesperaba era pensar que cuando llegara el tiempo de salir en libertad, si es que duraba con vida hasta entonces, él tendría que salir ya con un bastón, y no podría nunca más cultivar sus tierras ni ordeñar sus vacas ni montar en su caballo. Yo me dije en mi interior, he aquí otra injusticia: Si Godofredo se hubiera mantenido en su hábitat, alimentando a su familia, cultivando sus tierras, ordeñando sus vacas y montando su caballo, probablemente nunca hubiera llegado a ser un homicida. Pero solo Dios sabe.

Tratando de llevar alguna esperanza a su iracundo y angustiado espíritu, le dije:

—Hermano Godofredo, José nunca perdió la esperanza ni la fe, y aunque era muy difícil salir de aquella prisión, casi tan difícil como salir de aquí, ¡para Dios no hay imposibles! Así pasó con José, y ahora voy a continuar con la historia si me lo permiten. —Entonces parafraseé un texto de una autora inspirada que ahora vuelco en forma literal:

> Una mano divina estaba por abrir las puertas de la prisión. El rey de Egipto tuvo una noche dos sueños que, por lo visto, le indicaban el mismo acontecimiento, y parecían anunciar alguna gran calamidad. Él no podía determinar su significado, pero continuaban tur-

bándole. Los magos y los sabios de su reino no pudieron interpretarlos. La perplejidad y congoja del rey aumentaban, y el terror se esparcía por todo su palacio. El alboroto general trajo a la memoria del copero las circunstancias de su propio sueño; con él recordó a José, y sintió remordimiento por su olvido e ingratitud. Informó inmediatamente al rey cómo su propio sueño y el del primer panadero habían sido interpretados por el prisionero hebreo, y cómo las predicciones se habían cumplido.

Fue humillante para Faraón tener que dejar a los magos y sabios de su reino para consultar a un esclavo extranjero; pero estaba listo para aceptar el servicio del más ínfimo con tal que su mente atormentada pudiese encontrar alivio. En seguida se hizo venir a José. Este se quitó su indumentaria de preso y se cortó el cabello, pues le había crecido mucho durante el período de su desgracia y reclusión. Entonces fue llevado ante el Rey" (*Patriarcas y profetas*, pp. 219, 220).

"Y dijo Faraón a José: Yo he tenido un sueño, y no hay quien lo interprete; mas he oído decir de ti, que oyes sueños para interpretarlos. Respondió José a Faraón, diciendo: No está en mí; Dios será el que dé respuesta propicia a Faraón" (Génesis 41:15, 16).

Aquí José fue enfático. No se trataba de un juego de adivinación. No hay hombre que pueda leer los sueños de otro, no hay hombre que conozca el futuro, y no debemos dejarnos engañar por personas que pretenden saber lo que solamente pertenece a Dios.

Muchos basan sus decisiones en la lectura de los horóscopos, y en las opiniones de adivinos y cartománticos: ¡Cuidado! Dios nos ha dado la inteligencia, nos ha dado el poder del razonamiento, y los consejos de la Biblia para ayudarnos en el proceso de tomar nuestras decisiones diarias. El don de profecía existe, pero es un don de Dios. Recordemos que no todos los sueños son proféticos. Algunos sueños suelen ser producto de la ingestión de alimentos a deshoras de la noche. Así que no pretendamos ser profetas cuando sufrimos una indigestión. Y no busquemos interpretaciones fantasiosas para cualquier sueño que tengamos simplemente como producto de un fenómeno del pensamiento. Este no es el plan divino. Los sabios, los astrólogos y los adivinos del faraón no podían interpretar estos sueños; eran ineficaces ante esta situación, simplemente porque Dios era el que le había dado al rey del país más poderoso de aquella región un mensaje para la preservación de vidas. Y porque la revelación del futuro pertenece solamente a Dios; y cuando él quiere comunicar un mensaje a alguien, lo hace bien claro y notorio a través de sus profetas.

José era un profeta de Dios, y se dispuso a escuchar el sueño, confiado en que Dios le daría la interpretación. En esencia, el sueño fue como sigue:

Faraón soñó que estaba a la orilla del río y vio siete vacas gordas que allí pastaban. Entonces vio siete vacas flacas que devoraron a las siete primeras. También soñó siete espigas delgadas que devoraban siete espigas hermosas. José le explicó a Faraón que ambos sueños se referían a siete años de abundancia seguidos de siete años de sequía y carencia nacional. José incluyó una recomendación:

> Por tanto, provéase ahora Faraón de un varón prudente y sabio, y póngalo sobre la tierra de Egipto. Haga esto Faraón, y ponga gobernadores sobre el país, y quinte la tierra de Egipto en los siete años de la abundancia. Y junten toda la provisión de estos buenos años que vienen, y recojan el trigo bajo la mano de Faraón para

mantenimiento de las ciudades, y guárdenlo. Y esté aquella provisión en depósito para el país, para los siete años de hambre que habrá en la tierra de Egipto; y el país no perecerá de hambre. El asunto pareció bien a Faraón y a sus siervos (ver Génesis 41:17—37).

¿A quién podría confiarse tamaña responsabilidad? Después de bastante consideración y tras escuchar la recomendación del copero, el rey decidió ofrecer al mismo José el importante cargo. Faraón convirtió a José en el administrador de todo el país, segundo únicamente al rey. Incluso se quitó su anillo real y lo colocó en la mano de José, lo vistió según su encumbrada posición e hizo que se proclamara públicamente la nueva función de José.

"Lo puso por señor de su casa, y por gobernador de todas su posesiones, para que reprimiera a sus grandes como él quisiese, y a sus ancianos enseñara sabiduría" (Salmos 105:21, 22).

Me hubiera gustado ver las reacciones de Potifar y de su habilidosa mujer cuando oyeron las noticias. Posiblemente se aterraron de lo que les podría pasar ahora que José estaba en posesión de tanto poder. Pero la Biblia no dice en ningún lugar que José se haya vengado de ellos. Una persona con los principios de José, un hombre de bien, temeroso de Dios, no usa la venganza como su arma. Una buena persona sabe perdonar y deja la venganza en las manos de Dios; él es el que sabe juzgar los motivos y los corazones.

José pasó muy bien las pruebas de su vida, tanto en la prosperidad como en la adversidad: "Manifestó en el palacio de Faraón la misma fidelidad hacia Dios que había demostrado en su celda de prisionero. Era aún extranjero en tierra pagana, separado de su parentela que adoraba a Dios; pero creía plenamente que la mano divina había guiado sus pasos, y confiado siempre en Dios, cumplía fielmente los deberes de su puesto. Mediante José la atención del rey y de los grandes de Egipto fue dirigida hacia el verdadero Dios" (*Patriarcas y profetas*, pp. 222, 223).

Ustedes se preguntarán: ¿Cómo fue posible que este hombre, vendido por sus hermanos, esclavo de Potifar, vilipendiado por la impía mujer de su amo, preso en la cárcel, olvidado por el copero del rey a quien él había ayudado y animado, después de tantas pruebas, maltratos y angustias, todavía tuviera esa disposición de carácter tan hermosa, que lo seguía llevando a la victoria en medio de las desgracias?

¿Cómo pudo José dar tal ejemplo de firmeza de carácter? Él decidió seguir el deber antes que su inclinación; mantener su integridad, la confianza sencilla y la disposición noble que fructificaron en sus acciones. Cuando una persona decide vivir en comunión con Dios y según su voluntad, y permite que esta determinación gobierne todas las áreas de la vida, su mente se disciplina para escoger el bien y el deber antes que el mal y el placer. "La formación de un carácter noble es la obra de toda una vida, y debe ser el resultado de un esfuerzo aplicado y perseverante. Dios da las oportunidades; el éxito depende del uso que se haga de ellas" (*Ibíd.*, p. 224).

Sí, mis amigos, no importan las circunstancias que nos haya puesto la vida, o en las que nosotros mismos nos hayamos metido, siempre hay una oportunidad para vivir íntegramente, rectificar los errores y ponernos en armonía con Dios y con lo correcto.

—¡Yo quisiera llegar a ser como José! —dijo entusiasmado el hermano Gravarán.

—Eso no es fácil — Almansa le refunfuñó— y mucho menos en esta Leonera.

—¿Y que pasó con el viejito y los hermanos de José? —Godofredo, siempre pensando en su familia y en su granja allá en las montañas, preguntó con añoranza— ¿Se volvieron a ver alguna vez?

Los hermanos de José

En el comienzo de los "años de vacas gordas" comenzaron a hacer provisión para la hambruna que estaba por venir. Así, bajo la dirección de José, se construyeron graneros inmensos en sitios estratégicos de Egipto, y se hicieron los arreglos para almacenar el excedente de las cosechas. De este modo, durante siete años fueron acopiando granos y más granos, para que no le faltara a la población el alimento necesario. La cantidad almacenada fue incalculable.

Y luego, de acuerdo con la predicción de José, comenzaron los siete años de escasez. Aunque en todas las regiones de alrededor de Egipto padecían la hambruna, en este país sobraba el alimento. Por eso: "Cuando se sintió el hambre en toda la tierra de Egipto, el pueblo clamó a Faraón por pan. Y dijo Faraón a todos los egipcios: Id a José, y haced como el os dijere... Entonces abrió José todo granero donde había, y vendía a los egipcios" (Génesis 41:55).

Pero la hambruna se extendió muy severamente hasta la tierra de Canaán, donde vivía el padre de José con sus hermanos y sus familias. Cuando ellos escucharon de que en Egipto había alimento, diez de los hijos de Jacob viajaron a ese país para comprar granos a fin de alimentar a los suyos. Al llegar, se presentaron ante el gobernador de la tierra, y se inclinaron para saludarlo.

José reconoció a sus hermanos, pero ellos no se dieron cuenta que detrás de aquel gobernador con nombre egipcio había un ser que les era muy familiar. Cuando los hijos de Jacob se inclinaron para saludar a este alto funcionario egipcio, José recordó sus sueños y vino a su memoria las escenas del pasado con su familia. Añoró ver a su padre y se preocupó porque no veía entre sus hermanos a Benjamín, el menor de los hijos de Jacob. Temió por la suerte de su hermano pequeño; pensó que quizá le había pasado lo mismo que a él; temió que hubiera sido víctima de la crueldad de aquellos hombres. Entonces decidió averiguar la verdad: "Espías sois; por ver lo descubierto del país habéis venido" (Génesis 42:9). Dos veces los acusó, para verificar que le decían la verdad, pues sabía lo poco confiables que eran sus hermanos. Ellos le respondieron que no eran espías, sino "hijos de un varón en la tierra de Canaán; y he aquí el menor está hoy con nuestro padre, y otro no aparece" (vers. 13).

Entonces, José fingió dudar de la veracidad de lo que decían y los probó hasta la angustia: "No saldréis de aquí, sino cuando vuestro hermano menor viniere aquí" (Génesis 42:15). Si no consentían en hacer esto, serían tratados como espías. Y para que pensaran, "los puso juntos en la cárcel por tres días" (vers. 17). Pero esto aumentó la zozobra de los hijos de Jacob: el tiempo que necesitaban para traer a Benjamín dilataba la espera de sus familias, que ya estaban padeciendo la hambruna. Y, por otra parte, ¿cuál de ellos emprendería el viaje solo, dejando a sus hermanos en la prisión? ¿Qué le diría a su padre? Además podrían condenarlos a muerte, o esclavizarlos. Y si traían a Benjamín, tal vez sería solo para sufrir la misma suerte de sus demás hermanos. Decidieron permanecer allí y sufrir juntos, más bien que aumentar la tristeza de su padre con la pérdida del único hijo que le quedaba. Por lo tanto se los puso en la cárcel, donde permanecieron tres días.

Durante los años en que José había estado separado de sus hermanos, estos hijos de Jacob habían cambiado de carácter. Habían sido envidiosos, turbulentos, engañosos, crueles y vengativos; pero ahora, al ser probados por la adversidad, se mostraron desinteresados, fieles el uno al otro, consagrados a su padre y sujetos a su autoridad, aunque ya tenían bastante edad.

Los tres días pasados en la prisión egipcia fueron para ellos de amarga tristeza, mientras reflexionaban en sus pecados pasados. Porque a menos que se presentara Benjamín, su condenación como espías parecía segura, y tenían poca esperanza de obtener que su padre consintiera en enviar a Benjamín.

Al tercer día, José pidió que sus hermanos comparecieran ante él. No se atrevía a detenerlos por más tiempo. Su padre y las familias que estaban con él estaban padeciendo hambre: "Haced esto, y vivid: Yo temo a Dios. Si sois hombres honrados, quede preso en la casa de vuestra cárcel uno de vuestros hermanos, y vosotros id y llevad el alimento para el hambre de vuestra casa. Pero traeréis a vuestro hermano menor, y serán verificadas vuestras palabras, y no moriréis" (vers. 18-20). Ellos convinieron en aceptar esta propuesta, aunque expresando poca esperanza de que su padre permitiera que Benjamín fuera a Egipto.

Entonces los hermanos de José comenzaron a reprocharse mutuamente, en voz alta, creyendo que el gobernador egipcio no entendía lo que ellos decían. Y luego de las mutuas acusaciones y expresiones de remordimiento, dijeron: "Verdaderamente hemos pecado contra nuestro hermano, pues vimos la angustia de su alma cuando nos rogaba, y no le escuchamos; por eso ha venido sobre nosotros esta angustia" (vers. 21). Rubén, que había querido librarlo en Dotán, agregó: "¿No os hablé yo y dije: No pequéis contra el joven, y no escuchasteis? He aquí también se nos demanda su sangre" (vers. 22). José, que escuchaba como haciéndose el distraído, no pudo dominar su emoción, y salió y lloró. Al volver, ordenó que ataran a Simeón ante ellos, y lo hizo volver a la cárcel. En el trato cruel hacia su hermano, Simeón había sido el instigador y protagonista; y por esta razón la elección recayó sobre él.

Cuando José permitió que sus hermanos se fueran de regreso, ordenó que les devolvieran su dinero oculto dentro de sus costales, y que les dieran suficiente forraje para sus bestias para el camino. Cuando ellos encontraron el dinero, en vez de pensar que era una bendición del Señor, se preocuparon porque pensaron que Dios quería castigarlos más por causa de sus pecados.

Esta es la condición de los que no tienen a Dios en su conciencia: todo lo que les sucede se convierte en motivo de angustia y preocupación.

Entonces Jacob recibió a sus nueve hijos de regreso, lleno de alarma y recelos. Las intenciones del gobernador de Egipto no parecían nada buenas, y el anciano se negó durante mucho tiempo a que Benjamín fuera a Egipto. Sin embargo, el tiempo siguió pasando, la sequía continuaba y el hambre amenazaba duramente a la familia.

Así, Jacob no pudo negar su consentimiento por más tiempo, y ordenó a sus hijos que se prepararan para el viaje. También les mandó que llevaran al gobernador un regalo de las cosas que podía proporcionar aquel país devastado por el hambre: un poco de bálsamo, y un poco de miel, aromas y mirra, nueces y almendras, y también una cantidad doble de dinero. Cuando sus hijos se disponían a emprender su incierto viaje, el anciano padre se puso de pie, y levantando los brazos al cielo pronunció esta oración: "El Dios Omnipotente os dé misericordia delante de aquel varón, y os suelte al otro vuestro hermano, y a este Benjamín. Y si he de ser privado de mis hijos, séalo" (Génesis 43:14).

Cuando el gobernador volvió a verlos, le presentaron sus regalos, y humildemente se inclinaron ante él. José recordó nuevamente sus sueños y después de saludar a sus huéspedes se apresuró a preguntarles por su papá: ¿Está bien el anciano? ¿Vive todavía? Pero sus ojos se fijaron en Benjamín, y dijo: "Dios tenga misericordia de ti, hijo mío (vers. 29). Pero abrumado por sus sentimientos de ternura, "se conmovieron sus entrañas a causa de su hermano, y buscó donde llorar, y entró en su cámara, y lloró allí" (vers. 30).

Después de recuperar su dominio propio, José volvió a

reunirse con sus hermanos y ordenó que prepararan la mesa para comer juntos. Él y los egipcios comieron separados, porque era "abominación para los egipcios comer pan con los hebreos" (vers. 32). Pero cuando estaban sentados a la mesa, los hermanos se sorprendieron al ver que estaban dispuestos en el orden exacto, conforme a sus edades: "Y José tomó las viandas de delante de sí para ellos; mas la porción de Benjamín era cinco veces mayor que cualquiera de las de ellos" (vers. 33). Mediante esta expresión de preferencia hacia Benjamín, José esperaba averiguar si sentían hacia el hermano menor la envidia y el odio que le habían manifestado a él. Creyendo todavía que José no comprendía su lengua, los hermanos conversaron libremente entre sí. De este modo desnudaron sus verdaderos sentimientos ante su hermano, el gobernador de Egipto.

Pero José deseaba probarlos aún más; y a la partida de sus hermanos, ordenó que pusieran su propia copa de plata en el saco del menor.

Alegremente emprendieron el viaje de regreso. Simeón y Benjamín iban con ellos; sus animales iban cargados de cereales, y todos creían que habían escapado felizmente de los peligros que los habían acechado. Pero apenas habían llegado a las afueras de la ciudad, fueron alcanzados por el mayordomo del gobernador, quien les hizo la hiriente pregunta: "¿Por qué habéis vuelto mal por bien?... ¿No es ésta en la que bebe mi señor, y por la que suele adivinar? Habéis hecho mal en lo que hicisteis" (Génesis 44:4, 5).

Se suponía que esa copa poseía la virtud de descubrir cualquier sustancia venenosa que se pusiese en ella. En aquel entonces, las copas de esta clase eran altamente apreciadas como una protección en contra del envenenamiento.

A la acusación del mayordomo, los viajeros contestaron: "¿Por qué dice nuestro señor tales cosas?... Aquel de tus siervos en quien fuere hallada la copa, que muera, y aun nosotros seremos siervos de mi señor. Y él [el mayordomo de José] dijo: También sea conforme a vuestras palabras" (vers. 7-10).

Pero la copa fue hallada en el saco de Benjamín. Los hermanos desgarraron su ropa en señal de profundo dolor, y regresaron lentamente a la ciudad. De acuerdo con su propia promesa, Benjamín estaba condenado.

Dejemos que el relato dramático de la Biblia nos diga cómo fue aquel diálogo entre el gobernador de Egipto y sus hermanos:

> Y les dijo José: ¿Qué acción es esta que habéis hecho? ¿No sabéis que un hombre como yo sabe adivinar? Entonces dijo Judá: ¿Qué diremos a mi señor? ¿Qué hablaremos, o con qué nos justificaremos? Dios ha hallado la maldad de tus siervos; he aquí, nosotros somos siervos de mi señor, nosotros, y también aquel en cuyo poder fue hallada la copa. José respondió: Nunca yo tal haga. El varón en cuyo poder fue hallada la copa, él será mi siervo; vosotros id en paz a vuestro padre. Entonces Judá se acercó a él, y dijo: Ay, señor mío, te ruego que permitas que hable tu siervo una palabra en oídos de mi señor, y no se encienda tu enojo contra tu siervo, pues tú eres como Faraón. Mi señor preguntó a sus siervos, diciendo: ¿Tenéis padre o hermano? Y nosotros respondimos a mi señor: Tenemos un padre anciano, y un hermano joven, pequeño aún, que le nació en su vejez; y un hermano suyo murió, y él solo quedó de los hijos de su madre; y su padre lo ama… Te ruego, por tanto, que quede ahora tu siervo en lugar del joven por siervo de mi señor, y que el joven vaya con sus hermanos. Porque ¿cómo volveré yo a mi padre sin el joven? No podré, por no ver el mal que sobrevendrá a mi padre" (vers. 15-34).

Ya José estaba satisfecho. Había visto en sus hermanos los frutos del verdadero arrepentimiento. Al oír el noble ofrecimiento de Judá, ordenó que todos se retiraran, excepto sus hermanos; entonces llorando en alta voz exclamó: "¡Yo soy José!; ¿vive aún mi padre?" (Génesis 45:3).

Sus hermanos permanecieron inmóviles, mudos de temor y asombro. ¡El gobernador de Egipto era su hermano José, a quien por envidia habían querido asesinar, y a quien por fin habían vendido como esclavo! Todos los tormentos que le infligieron pasaron frente a ellos. Recordaron cómo habían menospreciado sus sueños y cómo habían luchado para evitar que se cumplieran. Sin embargo, habían participado en el cumplimiento de esos sueños, y allí estaban frente a frente con José, el gobernador de Egipto.

José entonces les pidió que se acercaran, y les dijo: "Yo soy José vuestro hermano, el que vendisteis para Egipto. Ahora, pues, no os entristezcáis, ni os pese de haberme vendido acá; porque para preservación de vida me envió Dios delante de vosotros" (vers. 4, 5). Y con la anuencia del rey Faraón, se enviaron carruajes, y Jacob y todas las familias de sus hermanos vinieron a Egipto y habitaron en lo mejor de la tierra.

A esa altura del relato, casi todos mis compañeros de celda estaban llorando; entonces tuve la oportunidad de invitarlos a ser como José. Porque José fue también como un símbolo de Jesús en su integridad y en su tremendo corazón perdonador.

Así, terminé al amanecer el sermón más largo de mi vida. ¡Ninguno de los reclusos se durmió!

Concluí con un texto bíblico que es una máxima que todos deberíamos atesorar en nuestra mente y corazón: "He aquí que el temor del Señor es la sabiduría, y el apartarse del mal, la inteligencia" (Job 28:28).

EL TIPO QUE MATÓ A DRÁCULA

"Os digo que así habrá más gozo en el cielo por un pecador que se arrepiente, que por noventa y nueve justos que no necesitan de arrepentimiento" (S. Lucas 15:7).

Al día siguiente, el cielo nos había sonreído, y comenzamos a tener mejores condiciones de vida, al menos momentáneamente. Por órdenes del sargento a cargo de operaciones, nos mudaron a una "celda normal", aunque aún dentro de la misma Leonera. Era más bien una especie de galera, donde todos tendríamos nuestras propias literas para dormir y disfrutaríamos de sábanas individuales, si sabíamos cuidarlas bien. Tendríamos acceso a baños comunitarios con servicios sanitarios muy rústicos; pero a mí me parecieron tan buenos como los de un hotel de lujo, pues teníamos al menos mediana privacidad. No teníamos acceso al comedor común, porque era considerado un lugar de alto riesgo. Pero al menos recibíamos nuestros platos en la mano; y la escasa ración estaba relativamente limpia. ¡Agradecí al Señor!

Comentarios inquietantes

Sin embargo, comentarios inquietantes comenzaron a llegar a mis oídos al segundo día de estar en la nueva "residencia". Allí, en la Leonera, además de los guardias y otros peligros, reinaba un personaje, alguien que nadie se atrevía a mencionar en voz alta, pero que evidentemente toda la población del penal conocía muy bien. Le temían y respetaban, aunque no todos lo habían visto de frente. Yo, por supuesto, no lo conocía, aunque no era la primera vez que oía hablar de él. Lo llamaban León; y dentro de aquella sección, su palabra era ley. Y por extraño que pareciera, hasta los guardias del pasillo trataban de complacerlo. Tenía una celda para él solo, y todos decían que era el "jefe" de la sección cuatro. Algunos lo mencionaban con miedo: "Ese tipo fue el que mató a Drácula".

—Maestro —Nicolás ("el ruso") y Godofredo ("buey con ropa") se me acercaron muy misteriosos—, no nos podemos separar de ti ni un momento. ¡Parece que vamos a estar en problemas! ¿Tú crees que Dios nos ayude a pelear en defensa propia?

—Pero. . . ¿qué sucede? —les pregunté.

—Ese tipo —Nicolás me dijo, medio angustiado—, el que dicen que mató a Drácula, dice que necesita verte cara a cara. Y nosotros tenemos miedo por ti. Una de sus leyes es que no puede haber dos jefes aquí. Y que si alguien es jefe de algún grupo, uno de los dos sale sobrando, y también cualquiera que lo defienda. Y dicen los otros reclusos que los guardias le dan permiso al León para castigar a los presos que les dan problemas o que no les caen bien.

—Y también dicen —continuó, con un hondo respiro y mirándome a los ojos— que nadie le ha ganado una pelea desde la noche que mató a Drácula. Y además, cuando lo mató, le dieron la celda de Drácula, porque él era el "jefe" antes de que el León llegara. Algunos recuerdan que hace doce años a esta sección la llamaban "la guarida de Drácula".

Tengo que confesar que aunque le dije a los muchachos: "No se preocupen, que Dios está con nosotros", mi humanidad de 54 kilos (120 libras) no se sentía preparada para enfrentarse con un león, ganador de mil peleas, un delincuente temible, un instrumento criminal de los guardias, ¡un tipo que había matado al mismísimo Drácula! Además, pelear nunca fue mi deporte ni mi vocación.

Creo firmemente que tanto mi cuerpo como el de los demás es el templo del Espíritu Santo, y nadie tiene derecho a maltratarlo. Tampoco podía correr, y no había dónde esconderse. Así que como siempre me volví hacia mi Dios, y le dije: "Yo no sé qué me tiene deparado la vida, pero en tus manos me entrego; y si quieres librarme de las garras del 'León', por favor hazlo; si algo me sucede, por favor cuida de Celita y de la criatura que está por nacer. ¡Pero no permitas que la obra comenzada aquí con estos presos sea destruida por las manos del adversario!

Así que estuve orando casi todo el resto de ese día, y buscando en mi mente pasajes de la Biblia que me asistieran en esa hora de prueba que parecía avecinarse. Esa tarde, como cada día, yo debía hablarle al grupo. Todos estaban tensos y preocupados. Teníamos que estar preparados para lo que sucediera. Entonces, lo que Dios puso en mi corazón fue la historia de Daniel y su encuentro con los leones, tal como lo relata en el capítulo seis de su libro. Y les hablé más o menos así:

—Durante el reinado de Nabucodonosor, rey de Babilonia, uno de los cuatro grandes imperios universales, la nación de los hijos de Israel sufrió setenta terribles años de cautiverio. De entre los cautivos judíos hubo un grupo de patriotas, fieles a los buenos principios, que fueron llevados a esa nación para servir al rey en diversas tareas. En este grupo había hombres firmes como el acero, que no serían corrompidos por el egoísmo, sino que honrarían al único y verdadero Dios en medio de la idolatría, las riquezas y la corrupción imperantes en el ambiente pagano de la entonces nación más poderosa del mundo. Ellos decidieron que honrarían a Dios aun cuando lo perdiesen todo, incluyendo sus propias vidas. No debían transigir con los idólatras, sino considerar como alto honor la fe que sostenían y el nombre de adoradores del Dios viviente. Y así lo hicieron. Honraron a Dios en la prosperidad y en la adversidad; y Dios los honró a ellos.

—Sí, efectivamente, los judíos condenan toda forma de idolatría —acotó Almansa.

—Pero el mensaje que quiero dejarles va más allá de la simple prohibición de adorar imágenes. Estoy hablando de cómo enfrentar el miedo —respondí y continué—. Entre los que mantenían su fidelidad a Dios, se contaba Daniel, un ilustre ejemplo de lo que pueden llegar a ser los hombres que se unen con el Dios de sabiduría y poder. Desde la comparativa sencillez de su hogar judío, este joven del linaje real fue llevado a las más magníficas de las ciudades, y a la corte del mayor monarca del mundo. Daniel sirvió a los reyes de Babilonia con tanta integridad y responsabilidad en varios cargos: como sabio, consejero, maestro y profeta. De tal modo que cuando el Imperio Babilónico cayó y comenzaron a reinar los medopersas, Daniel fue solicitado para ocupar una gran posición administrativa. La Biblia dice que "pareció bien a Darío [el Medo] constituir sobre el reino ciento veinte sátrapas [término persa que significa gobernador de provincia], que gobernasen en todo el reino. Y sobre ellos tres gobernadores, de los cuales Daniel era uno, a quienes estos sátrapas diesen cuenta, para que el rey no fuese perjudicado. Pero Daniel mismo era superior a estos sátrapas y gobernadores, porque había en él un espíritu superior; y el rey pensó en ponerlo sobre todo el reino" (Daniel 6:1-3). Los honores otorgados a Daniel despertaron los celos de los principales del reino, y buscaron ocasión de quejarse contra él; pero no pudieron hallar motivo para ello, "porque él era fiel, y ningún vicio ni falta fue hallado en él" (vers. 4).

—Bueno, acá es todo lo contrario, cuánto más viciosos son, más alto llegan —refunfuñó Godofredo.

El resto de los presos se rieron por el sentido del humor y la picardía que encerraban las palabras de Godofredo. Luego de un breve silencio, proseguí.

—La conducta intachable de Daniel excitó aún más los celos de sus enemigos. Se vieron obligados a reconocer: "No hallaremos contra este Daniel ocasión alguna para acusarle, si no la hallamos contra él en relación con la ley de su Dios" (vers. 5). Por lo tanto, los presidentes y príncipes, consultándose, idearon un plan por el cual esperaban lograr la destrucción del profeta. Resolvieron pedir al rey que firmase un decreto, que ellos iban a preparar, por el cual se prohibiría durante treinta días que alguien pidiese algo a Dios o a los hombres, excepto al rey Darío. La violación de este decreto se castigaría arrojando al culpable en el foso de los leones.

—A la Leonera —gritó alguien que no pude identificar. Todos se rieron.

—Sí, efectivamente, a la Leonera —respondí—. Por consiguiente, los príncipes prepararon el decreto y se lo presentaron a Darío para que lo firmara. Apelando a su vanidad, lo convencieron de que el cumplimiento de este edicto acrecentaría grandemente su honor y autoridad. Como no conocía el propósito sutil de los príncipes, el rey no discernió la animosidad que había en el decreto, y cediendo a sus adulaciones, lo firmó.

Los enemigos de Daniel salieron de la presencia de Darío regocijándose por la trampa que le habían tendido al siervo del Señor. Pero aunque Daniel reconoció prestamente el propósito maligno del decreto, no cambió su conducta en un solo detalle. ¿Por qué dejaría de orar ahora, cuando más lo necesitaba? Antes renunciaría a la vida misma que a la esperanza de recibir la ayuda divina. Cumplía con calma sus deberes como presidente de los príncipes; y a la hora de la oración entraba en su habitación, y con las ventanas abiertas hacia Jerusalén, según su costumbre, ofrecía su petición al Dios del cielo. No procuraba ocultar su acto. Aunque conocía muy bien las consecuencias que tendría su fidelidad a Dios, su ánimo no vaciló. No permitiría que aquellos que maquinaban su ruina pudieran ver siquiera la menor apariencia de que su relación con el Cielo se hubiese cortado.

—Ese es un hombre valiente —acotó Nicolás.

—Sí, claro, de este modo, el profeta declaró con osadía serena y humilde que ninguna potencia terrenal tiene el derecho de interponerse entre el alma y Dios —le respondí.

Los que estábamos ahí sabíamos muy bien el significado de estas últimas palabras. Pero no solo ninguna potencia, tampoco ningún gobierno, ningún Estado, tiene el derecho de observar una conciencia religiosa. El libre ejercicio de la relación personal con Dios es un derecho absoluto. Y continué:

—Rodeado de idólatras, Daniel atestiguó fielmente esta verdad. Su adhesión indómita a lo recto fue una luz que brilló en las tinieblas morales de aquella corte pagana. Por eso Daniel se destaca hoy ante el mundo como un digno ejemplo de intrepidez y fidelidad a Dios. Los príncipes vigilaron a Daniel durante todo un día. Tres veces lo vieron ir a su recámara, y tres veces oyeron su voz elevarse en ferviente intercesión con Dios. A la mañana siguiente presentaron su queja al rey. Daniel, su estadista más honrado y fiel, había desafiado el decreto real. Recordaron al rey: "¿No has confirmado edicto de que cualquiera que en el espacio de treinta días pida a cualquier dios u hombre fuera de ti, oh rey, sea echado en el foso de los leones?" (vers. 12). "Respondió el rey diciendo: Verdad es, conforme a la ley de Media y de Persia, la cual no puede ser abrogada" (vers. 12, 13). Informaron entonces con aire de triunfo a Darío acerca de la conducta de su consejero de más confianza. Clamaron: "Daniel, que es de los hijos de los cautivos de Judá, no te respeta a ti, oh rey, ni acata el edicto que confirmaste, sino que tres veces al día hace su petición" (vers. 13).

Al oír estas palabras, el monarca vio en seguida la trampa que habían tendido para su siervo fiel. Vio que no era el celo por la gloria ni el honor del rey, sino los celos contra Daniel lo que había motivado aquella propuesta de promulgar un decreto real. El relato bíblico dice que "le pesó en gran manera" por la parte que había tenido en este mal proceder, y "hasta la puesta del sol trabajó para librarle" (vers. 14). Anticipándose a este esfuerzo por parte del rey, los príncipes le dijeron: "Sepas, oh rey, que es ley de Media y de Persia que ningún edicto u ordenanza que el rey confirme puede ser abrogado" (vers. 15). Aunque promulgado con precipitación, el decreto era inalterable y debía cumplirse.

"Entonces el rey mandó, y trajeron a Daniel, y le echaron en el foso de los leones. Y el rey dijo a Daniel: El Dios tuyo, a quien tú continuamente sirves, él te libre" (vers. 16). Se puso una piedra a la entrada del foso, y el rey mismo la selló con su anillo y con el anillo de sus príncipes, para que el acuerdo acerca de Daniel no se modificara. Luego, el rey se fue a su palacio, y se acostó sin comer nada. No pudo dormir, ni siquiera escuchar música en esas horas aciagas.

Dios no impidió a los enemigos de Daniel que lo tiraran en el foso de los leones. Permitió que cumpliesen hasta allí sus propósitos los malos ángeles y los hombres impíos; pero lo hizo para resaltar aun más la liberación de su siervo y para que la derrota de los enemigos de la verdad y de la justicia fuese más completa. Como dice el salmista: "Ciertamente la ira del hombre te alabará" (Salmo 76:10). Mediante el valor de un solo hombre que prefirió seguir la justicia antes que las conveniencias, Satanás iba a ser derrotado, y el nombre de Dios sería ensalzado y honrado.

—Esto que está diciendo, maestro, me emociona. Las cosas se pueden ver de diferentes maneras; a veces interpretamos mal a Dios cuando nos va mal, pero hay que saber esperar —dijo Nicolás con tono reflexivo.

—Sí, efectivamente, hay que dejar que Dios termine de pintar su cuadro para ver el sentido de sus trazos. Muchas veces nos quedamos en unas pocas pinceladas —contesté y asintieron como que habían asimilado la metáfora—. Pero sigamos con esta historia fascinante: Temprano por la mañana siguiente, el rey Darío se dirigió apresuradamente al foso de los leones; entonces llamó a Daniel con una voz cargada de tristeza: "Daniel, siervo del Dios viviente, el Dios tuyo, a quien tú continuamente sirves, ¿te ha podido librar de los leones?" (vers. 20).

El profeta contestó: "Oh rey, vive para siempre. Mi Dios envió su ángel, el cual cerró la boca de los leones, para que no me hiciesen daño; porque ante él fui hallado inocente; y aún delante de ti, oh rey, yo no he hecho nada malo. Entonces se alegró el rey en gran manera a causa de él, y mandó sacar a Daniel del foso; y fue Daniel sacado del foso, y ninguna lesión se halló en él, porque había confiado en su Dios" (vers. 21-23).

Y entonces el poderoso monarca dio la orden de que echaran al pozo a todos los que habían confabulado contra Daniel, y las fieras los despedazaron y los devoraron. Después el rey mandó este edicto a todas las naciones y en todas las lenguas que se hablaban en su vasto imperio: "De parte mía es puesta esta ordenanza: Que en todo el dominio de mi reino todos teman y tiemblen ante la presencia del Dios de Daniel; porque él es el Dios viviente y permanece por todos los siglos, y su reino no será jamás destruido, y su dominio perdurará hasta el fin. Él salva y libra, y hace señales y maravillas en el cielo y en la tierra; él ha librado a Daniel del poder de los leones. Y este Daniel prosperó durante el reinado de Darío y durante el reinado de Ciro el persa" (Daniel 6:26-28).

Al terminar mi alocución, los invité a orar, y les dije que Dios sigue siendo Dios y que nos cuidará si confiamos en él. Nosotros no somos una pandilla ni vamos a tener guerra contra nadie. Somos cristianos y servimos al Dios viviente.

Apenas habíamos terminado de orar, vino el guardia del pasillo, gritó mi nombre y me dijo que otro recluso le había solicitado hablar conmigo en su celda. Entonces le pregunté quién era y para qué me quería. El guardia dijo:

—Es el León, y le recomiendo que vaya, él es como el jefe de todos los presos en esta sección, y si se molesta puede ser muy malo con usted.

—¡No vaya Maestro! —varios reclusos me dijeron— ¡Ese tipo es el demonio! Recuerde que ese fue el que mató a Drácula. Y le ha roto la cabeza a todos los bravos que están aquí.

No sé si Dios me dio valor, o que yo no quería que se formara una rivalidad entre los creyentes y la gente del León. O ambas cosas. Les confieso que no soy un peleador, y entre mis dones no está el don de mártir. Pero me decidí, y haciendo de tripas corazón le dije al guardia:

—Abre y llévame allá, vamos a ver que se le ofrece al León.

Su celda estaba cerca, solo a la vuelta de la nuestra. No era tan grande como nuestra galera, pero era mucho más cómoda, y tenía algunos muebles que le daban la apariencia de una sala. Allí estaba el temido León. Era el inquilino especial que vivía solo. Tendría unos quince años más que yo, y advertí que era el único de los reclusos que no tenía el cabello recortado. Su pelo, bastante largo y rubio, tenía mucha semejanza con la melena de un león. Su mirada era fiera; pero inteligente. Esperó que el guardia del pasillo cerrara la reja y se fuera, entonces en un tono que yo no esperaba me dijo algo que tampoco esperaba:

—¡Padre! ¡Quiero confesarme!... Siéntese por favor. Mi nombre es Leonardo y he estado en este mismo lugar los últimos doce años de mi vida; y aquí estaré hasta que muera. ¡He perdido toda esperanza!

Quise aclararle que yo era un pastor y que las confesiones deben dirigirse solamente a Dios y a las personas contra las cuales hemos pecado, pero preferí escucharlo; interrumpirlo hubiera sido más que un error, un imposible. Sus palabras salían en torrentes, y más que el rugido de un león, parecían el clamor de un alma herida y angustiada. La fiera estaba herida. Seguí escuchándolo pacientemente:

—Hace poco más de doce años que llegué aquí, sin haber cometido delito alguno. Yo sé qué está pensando, que todos los presidiarios dicen lo mismo: "Yo no hice nada"; pero en mi caso fue así, al menos al principio. Yo era joven, muy idealista, y antes de caer en desgracia era un hombre exitoso dentro de la Universidad. Crecí en un hogar religioso; mis padres eran católicos prácticos, de esos de ir a misa todos los domingos. Pero, para mantenerme en línea y poder conservar los beneficios del sistema político, después del triunfo de la Revolución comencé a negar mis creencias religiosas, y más tarde me hice miembro de la Juventud Comunista. A los 24 años, ya era profesor, con una licenciatura en Educación Física y entrenador de karate y artes marciales de la Universidad Central. Era querido y admirado por todos y tenía una novia preciosa e inteligente. En ese entonces comenzamos a recibir la maldita ayuda de nuestros camaradas soviéticos, que vienen de la URSS y piensan que son los dueños de la Isla y de la Universidad. Sucedió que uno de esos profesores rusos, un desvergonzado que se la pasaba haciéndole insinuaciones y aprovechándose de cuanta alumna podía en nombre del llamado amor libre, me marcó la vida.

Ahí detuvo su relato, como para tomar un respiro, como queriendo olvidar el origen de sus desgracias, el momento cuando se vino barranca abajo. Entonces continuó:

—Una tarde, mientras corría haciendo mi entrenamiento diario, lo sorprendí a ese ruso tratando de obligar violentamente a mi novia a que entrara en su automóvil. Mi novia se resistía con todas sus fuerzas. Por supuesto, corrí hacia ellos y le reclamé enérgicamente. Entonces el muy perverso, por falta de palabras, me atacó físicamente. Y en defensa propia le di un golpe seco en el hombro y le fracturé una clavícula. Cayó al piso, gritando, y cuando la gente vino a ver qué pasaba, llamaron a la policía. Me arrestaron y me acusaron de haber agredido a un camarada internacionalista y de tener una mente retrógrada. Yo no sabía que tocar a un ruso era un delito tan grave; pero me condenaron a cinco años de privación de la libertad, con la recomendación de que fuera en un lugar de máximo rigor, para que sirviera de escarmiento a los que no valoraran las relaciones de Cuba con la Unión Soviética.

—¿Pero cómo llegó hasta aquí y por qué tantos años en esta sección? —le pregunté como para enterarme de la historia que se rumoreaba acerca de Drácula. Quería saber cómo había ocurrido. No era mera curiosidad. Yo sabía que detrás de esta "fiera" había un corazón anhelante de justicia y amor.

—Así fue que llegué aquí, me trajeron al 5; pues dijeron que esto era lo que yo necesitaba para arreglarme. Y vine a parar a la Sección 4, para recibir "mi escarmiento". En ese entonces el jefe de esta sección era un preso de mucho poder, que mandaba una pandilla muy temida dentro de la prisión. Era un degenerado que lo llamaban "El Drácula", un enfermo mental que padecía sífilis y otras enfermedades venéreas, y que había perdido los dientes de arriba y solo le quedaban dos colmillos muy largos, que le daban la apariencia de un vampiro. Pero era peor que un vampiro. Según supe, él le compraba a Pasillo los jovencitos que llegaban a la sección cuatro. Ya eran más de cuarenta los que había sodomizado, seduciéndolos o violentándolos con la ayuda de sus secuaces. Al parecer estos abusos no llegaban al conocimiento de la dirección del penal; y si llegaban nunca hicieron nada para detenerlos. Después me di cuenta de que el Drácula era el instrumento de los guardias para atemorizar y controlar a los reclusos belicosos, o que sencillamente no se adaptaban a este lugar.

—Esa tarde —siguió hablando, mirándome con ojos atormentados—, descaradamente, Pasillo anunció así mi llegada: "¡Carne fresca! ¡Carne fresca!" Y añadió: "¡Drácula, te vendo una palomita rubia!" Durante el resto de la tarde siguieron con la aparente jarana: "¡Te vendo la palomita!" Yo no sé qué tipo de arreglo hicieron entre ellos, pero al caer la noche, Pasillo vino y me ordenó que recogiera mis pertenencias, pues tenía órdenes de mudarme de celda. Me mudó precisamente a este maldito lugar que llamaban la "guarida del Drácula". Al principio, el desgraciado me trató con mucho afecto, como para inspirarme confianza. Luego fue más atrevido en sus proposiciones sexuales. Y empezó a contar la historia de lo bien que les había ido a otros jovencitos que pasaron por allí. Yo le dije claramente que era hombre, y que no tendría ninguna posibilidad conmigo. Entonces trató de forzarme; y tuve que darle varios golpes técnicos, pero suaves, con la intención de desanimarlo en su intento. Entonces empezó a gritar el infeliz: "¡Pasillo, tráeme ayuda, que me vendiste una palomita y me ha salido un gavilán!" Y fue ahí que le gruñí: "¡Yo no soy un gavilán! ¡Yo soy un león, y déjame en paz!"

—Ah, por eso le llaman el León —atreví a comentar, pero me ignoró.

—Pues el muy sinvergüenza siguió gritando y pidiendo la ayuda de sus incondicionales. Al poco rato, Pasillo abrió las rejas y entraron dos de los secuaces de Drácula, y me dijeron: "Vamos muchachito, tranquilo que la vamos a pasar muy bien; todos al principio se resisten pero después les gusta". Yo ya estaba muy molesto. Y estos miserables cometieron el error de tratar de someterme por la fuerza; entonces la gestión se les complicó, pues yo me tuve que defender, y con mis conocimientos del karate y de las artes marciales que ellos ignoraban, pude resistirles; pero ellos no se rendían. Mi enojo llegó a convertirse en furia y comencé a pelear como para preservar mi vida. No fue muy fácil dominarme, aunque yo temía a lo que podría sucederme si algo fatal pasaba, solo quería golpearlos para dejarlos inconscientes; pero en el fragor de la pelea, no calculé las consecuencias, ¡eran tres demonios encima de mí! Así que tuve que actuar y dejé fuera de combate a los dos pandilleros. Pero el Drácula estaba enfermo, estaba loco, y sacó un punzón y me gritó: "¡Palomita de basura te voy a matar!" No supe qué hacer; yo no quería matarlo, pero estaba tan rabioso que le di dos golpes negros —con uno solo hubiera bastado para matarlo—, y cayó al piso como un muñeco de trapo. Se le salió el alma corriendo al muy desgraciado. La gritería del resto de su gente a que les abriera para que ayudaran a su jefe era horrible. Entonces llegaron más guardias para controlar la situación. Ninguno se atrevió a tocarme. Pero el guardia del pasillo que me había vendido no tuvo la suficiente inteligencia ni precaución de quedarse afuera, y tan pronto como lo tuve al alcance le di un solo golpe directo al hígado. Y ese otro degenerado también se fue de este mundo. Ya no iba a vender más palomitas. Se llevaron los cuatro cuerpos, dos de ellos cadáveres, y a mí me trasladaron a "la celda de castigos". Yo nunca había matado a nadie, solo practicaba karate y artes marciales como deporte. Jamás pensé encontrarme en una situación como aquella. Yo no sé cuánto tiempo estuve en la llamada celda de castigos; pero fueron varias semanas horribles. No pude dormir en todo ese tiempo; y si empezaba a quedarme dormido, pesadillas horribles me despertaban, temblando en el suelo mojado. Creí que iba a enloquecerme, y después comprobé que era cierto: Sí, me había vuelto loco. He estado actuando como un loco, como un salvaje.

En ese momento se hizo un silencio profundo. Los dos quedamos meditando en aquellos hechos. Nuevamente pensé cómo una circunstancia fortuita puede torcer el destino de una persona. Si nada hubiera ocurrido con aquel ruso, ¿quién sería hoy Leonardo? Después de unos segundos que parecieron horas, continuó con su relato:

—¡Creo que en verdad el mismísimo Satanás ha estado viviendo en mi cuerpo durante todos estos años! ¡Pero ese no soy yo! ¡Nunca fui así! Estoy muriendo en vida. Pero no puedo acabar de morirme... Como los guardias habían perdido a su verdugo, un día me sacaron del castigo, me hicieron bañar y cambiar de ropa y me ofrecieron que ocupara el lugar del antiguo sayón. Mi nueva sentencia fue de treinta años por cada muerte, y diez años por sublevación en los predios del penal. A eso había que sumarles los cinco años que ya traía a cuestas: un total de setenta y cinco años. Si le sumas los años que ya he vivido, ¡no me va a alcanzar la vida que me queda para pagarles todos los años a los que me han condenado! ¡Lo sé muy bien: aquí no hay esperanza!

Sacudió su cabeza como un león enjaulado, a quien el domador había reducido a la obediencia forzada. Y continuó su confesión:

—Yo no había podido hablar con ninguna persona decente durante todos estos años. Últimamente me asediaba la necesidad de un sacerdote para confesarme. Estoy desesperado, no quiero seguir viviendo. Aquí he tenido que seguir jugando el papel del matón, del asesino, del León, del tipo que mató a Drácula, pero estoy harto de todo, y estaba pensando en suicidarme. Sin embargo, la tarde en que usted entró en la sección cuatro, reconocí que hay algo más allá. Escuché su voz, vi la luz y vi todo lo que pasó. Eso me impresionó de una manera muy extraña. Sus palabras todavía resuenan aquí, dentro de mi mente: "¡Jehová, Jehová, Dios poderoso en batalla! ¡Aquí está tu siervo, perseguido como uno de los profetas de la antigüedad! ¡Desnuda tu brazo ante los perversos y no te separes de mí ni un instante! Yo te pido hoy: ¡Derrama las siete plagas postreras sobre el que se atreva a tocarme!"

—Esa tarde, no sé por qué me identifiqué instintivamente con usted, con su caso, y, perdone mi atrevimiento, yo hubiera querido ser como usted. Desde ese momento he estado esperando esta oportunidad para hablarle y hacer mi confesión, porque he decidido acabar con mi vida, que ya no tiene sentido. Aquí soy el León, ¡que digo el León!, ¡el mono! o ¡el payaso de ellos! El que les da el entretenimiento de una pelea cuando traen a otro infeliz, condenado igual que yo, y que piensa que peleando podrá ganar estima ante los demás y algunos privilegios. Ser el más fuerte, dar más golpes, derribar a un adversario, dominar a los demás, al principio da cierto placer, pero a mí ya me da asco, he tocado el fondo.

—¡Leonardo! —exclamé— ¡Escúchame! ¡Hoy ha llegado la salvación a esta guarida! Tú puedes, como lo has hecho, desahogar tus angustias conmigo como un hermano, si así lo quieres. Yo puedo ayudarte a reconciliarte con Dios a través del conocimiento de la Palabra y la oración. No necesitas confesarme a mí tus pecados. Yo no tengo el poder de absolverte. Ningún hombre tiene ese poder. Es a Dios a quien debemos confesar nuestros pecados, sean grandes o pequeños a nuestra vista, y pedirle perdón.

—¡Yo no creo que él pueda ni quiera ya perdonarme! ¡Yo no soy ni una sombra de la buena persona que era hasta el día que tuve el problema con aquel ruso! ¡Ha sido todo tan injusto! ¡Y yo he sido tan malo!

—¡Mira! —le dije— Yo no puedo ni quiero justificar tus pecados. El pecado es injustificable. Pero pongámoslo así: En un principio es posible que hayan cometido una injusticia contigo, hubo probablemente abuso de autoridad cuando te condenaron a un lugar donde es tan difícil sobrevivir. Creo que estuviste en el lugar incorrecto, en el día equivocado y con las personas equivocadas. Después, al llegar aquí, definitivamente viniste al lugar equivocado. Nadie debiera estar aquí a merced de esta gente sin escrúpulos. Pero definitivamente hubo un error. Perdóname, yo no estoy aquí para juzgarte, eso es responsabilidad de Dios. Pero sí creo que necesitas ayuda urgente. Tienes que cerrar algunos capítulos de tu vida: Respecto de los que murieron, ya no hay nada que puedas hacer con eso; tienes que dejarlos ir; déjalos en las manos de Dios. Necesitas deshacerte del odio y del resentimiento. Tampoco creo que el remordimiento sea el mejor camino para encontrar la paz interior. Por eso quiero hablarte del arrepentimiento genuino.

Hice una pausa como para que asimilara las palabras que le había dicho. Lo miré a los ojos, y continué:

—La Biblia tiene la mejor medicina para tus males: "Si confesamos nuestros pecados, él es fiel y justo para perdonar nuestros pecados, y limpiarnos de toda maldad" (1 Juan 1:9). Esta es una promesa de Dios, y él no miente. Yo veo algo muy positivo: Tú quisiste confesar tus pecados. Hay otro texto de la Biblia que quiero compartir contigo. Este pasaje me parece que pueden obrar en tu favor, escucha: "Mi pecado te declaré, y no encubrí mi iniquidad. Dije: Confesaré mis transgresiones a Jehová; y tú perdonaste la maldad de mi pecado" (Salmo 32:5).

Las lágrimas comenzaron a salir de aquellos ojos de mirada fiera, y me dijo con voz entrecortada:

—¡Mire!... Estoy llorando... Hace años que no podía llorar. ¡Mis ojos parecían de piedra!

Entonces aproveché para acercarlo al camino de la fe; lo llamé hermano por primera vez, y no se resistió:

—¡Hermano Leonardo, eso quiere decir que el Espíritu Santo ha comenzado a obrar en tu vida!

—Siga hablándome por favor.

Fue todo lo que pudo contestar. Estaba convulsionado por el llanto.

Así que yo continué: "Ahora me gozo, no porque hayáis sido contristados, sino porque fuisteis contristados para arrepentimiento... Porque la tristeza que es según Dios produce arrepentimiento para salvación, de que no hay que arrepentirse; pero la tristeza del mundo produce muerte" (2 Corintios 7:9, 10).

Estos pasajes llegaron bien adentro del alma de Leonardo. ¡El poder de la Palabra de Dios es muy grande, es como una espada de dos filos! ¡Y la espada de Dios penetró hasta las coyunturas y los tuétanos! Ayudó al desesperado a discernir las intenciones de su corazón y la perfecta voluntad de Dios. Antes de esto yo había visto a muchas personas reaccionar ante el toque divino, pero esa noche tuve una visión mucho más clara de lo que es la misericordia del Señor obrando en favor de alguien que obviamente no lo merecía. Todavía me siento asombrado ante la grandeza, la profundidad y la anchura del amor de Dios.

El arrepentimiento genuino no es el temor humano a las consecuencias de nuestros actos equivocados. No es el remordimiento de Judas, que lo llevó al suicidio. Es el dolor de haber pecado. Es la tristeza de haber hecho el mal y una apertura para que los deseos de hacer el bien sustituyan a nuestra actitud hostil y perversa. Esta es una vivencia que denota un cambio del modo de pensar y produce un cambio en la vida. La tristeza piadosa guía al arrepentimiento, al abandono del pecado y a una firme determinación de resistir, mediante la gracia de Dios, la tentación que lleva al pecado.

—¡Deja que esta verdad se te meta en la cabeza y haga nido en tu pecho! —clamé entonces a aquel condenado— Nadie ha caído tan bajo que la gracia de Dios no lo pueda levantar; ninguno se ha ido tan lejos que el amor de Dios no lo pueda alcanzar. ¡Aduéñate de la esperanza! Esta te traerá paz y consuelo. Vas a ser una nueva persona. Dios todavía te ama, él te ama como un padre ama a un hijo descarriado. Arrepiéntete de tus pecados y vuélvete del mal camino. El Cielo entero mira por ti, los ángeles están listos para venir en tu ayuda. Como resultado de tu arrepentimiento genuino habrá gozo en el cielo: "Os digo que así habrá más gozo en el cielo por un pecador que se arrepiente, que por noventa y nueve justos que no necesitan de arrepentimiento" (S. Lucas 15:7).

Querido lector: Esto es Palabra de Dios. A Jesús lo crucificaron entre dos malhechores: Uno de ellos estaba lleno de odio y resquemores, acusaba y reclamaba; ese no parece haberse arrepentido, y murió blasfemo. Pero el otro se arrepintió y confesó sus pecados. Jesús le concedió el perdón y la seguridad de la salvación.

Cuando Zaqueo que era mucho más que un extorsionador, abusador y ladrón, confesó sus pecados y se arrepintió, Jesús le dijo: "Hoy ha venido la salvación a esta casa" (S. Lucas 19:9).

Aquella noche invité al León, al "tipo que mató a Drácula", a arrodillarse y a repetir conmigo una oración de confesión y arrepentimiento. Él se arrodilló mansamente. ¡Qué oración maravillosa fue aquella! ¡Ambos terminamos llorando y dándole la gloria a Dios! Y para qué negarlo, en estos momentos que escribo, tengo otra vez en mis ojos lágrimas de emoción y de gratitud.

Leonardo estaba profundamente conmovido, y sinceramente me preguntó:

—¿Usted cree que haya realmente oportunidad para mí?

—¡Nadie está excluido de la salvación! ¡La gracia de Dios es suficiente tanto para ti como para mí! ¡Dios te ha recibido hoy! ¡Y lo que tú necesitas es un nuevo nacimiento!

—¿Un nuevo nacimiento? Hábleme de eso!

Pero ya era pasada la medianoche. Le prometí que si me permitían, al otro día volvería. Entonces él llamó a Pasillo quien, extrañado de la pacífica despedida, me llevó de regreso a mi galera. Varios de los hermanos me estaban esperando, despiertos y contentos de que yo hubiera regresado sano y salvo. Pero no podían creer la buena nueva: "El evangelio ha llegado al tipo que mató a Drácula".

LA VISITA CONYUGAL

"Aleja de ella tu camino, y no te acerques a la puerta de su casa; para que no cedas a los extraños tu honor, y tus años al cruel" (Proverbios 5:8, 9).

Aquella tarde estuvo cargada de extraños presagios para mí. Sentía la atmósfera muy densa, y me acometió una intensa necesidad de orar. Así lo hice, y aunque no sabía a ciencia cierta lo que motivaba mi fatiga, les hablé a los hermanos acerca de la necesidad de orar siempre y no desmayar. En ese momento, el silencio y el orden imperantes eran sencillamente impresionantes.

Sentí la presencia de Dios de una manera muy especial y los invité a tener una sesión de oración. Muchos de ellos todavía no sabían lo que era la verdadera oración.

—¿Cómo puedo orar de verdad? —me preguntó Nicolás, y añadió—: El viejo Slovasevich se reía de los que rezaban: ¿Cómo necesitan pedirle a Dios algo que él ya sabe que debe dar? ¿De qué van a informarle a Dios si él lo sabe todo? Además, esto de rezar es hablarle a una figura hecha de un pedazo de palo, fabricada por alguien más vivo que uno, para ganar mucho dinero. ¿Cómo le van a rezar a esas figuras que llaman santos si ellos no oyen, ni hablan, ni sienten, ni comen, ni se mueven? Y si ni siquiera pueden moverse, ¿cómo van a ayudarlo a uno?

Algunos habían aprendido algunos rezos, de esos repetitivos que mucha gente recuerda, entonces les pregunté si tenían alguna necesidad especial para que intercediéramos por ellos. Les enseñé que orar es el acto de abrir nuestro corazón a Dios como a un amigo; y varios de ellos se atrevieron a orar delante de los demás en voz alta por primera vez en su vida. Después de esto, yo me sentí confortado y di gracias a Dios por los progresos espirituales y sociales que hacían mis nuevos hermanos en la fe, como yo los llamaba. Lejos estaba de imaginarme la trampa que mis enemigos me tenían tendida en ese día. Pero muy pronto lo sabría.

El guardia encargado de cierto departamento entró a la sección, abrió la puerta de la galera y llamó en un tonito particular: "¡El 144! ¡Visita conyugal!" Todos me miraron sorprendidos, y yo me sentí confundido. Conociendo bien a mi esposa, me pareció muy extraño que ella hubiera solicitado ese tipo de visita. Esto era tan imposible como que se la hubieran concedido. Además, ella se encontraba en un estado avanzado de embarazo. Para esa fecha, Celita ya estaría alrededor de los ocho meses. Aparte de todo esto, en la condición desfavorable de mi encierro, a los reclusos no les permitían ese tipo de privilegios. Algo raro pasaba, y yo lo comprendía; pero el guardia me sacó de mi asombro cuando me dijo toscamente: "¡No puedo estar aquí parado toda la tarde! ¡Andando, su mujer lo espera!"

Mientras atravesábamos diferentes pasillos que yo no conocía, me hice mil preguntas: Si no me han dado la oportunidad de tener visitas normales, ¿cómo habrán hecho esta excepción? ¿Habrá algún problema con mi esposa y la criatura? ¿Qué estratagema habrá hecho mi esposa para conseguir hablar conmigo? Pero no encontraba ninguna respuesta a mis interrogantes.

En eso llegamos a una puerta, el guardia la abrió y me dijo: "Entre y espere aquí". El lugar parecía algo así como una habitación de hotel barato, con una cama regular, una pared hecha por espejos completamente, un baño y otra puerta que daba a no sé dónde. Me hicieron esperar un largo rato... Al cabo se abrió la puerta y entró una muchacha; ¡pero no era mi esposa! Era Margaret. Sí, yo la recordaba muy bien, una chica que fue mi compañera de clases en la Escuela Superior María de los Ángeles. Ella había sido la estrella del equipo de gimnasia de la escuela en aquellos tiempos. La niña con la que todos los muchachos de la escuela soñaban pero que ninguno alcanzaba, porque aunque era una muchachita de carácter humilde y dulce, que se llevaba bien con todos, era también muy decente y recatada. Era casi inaccesible. Esto me parecía increíble. ¿Era un sueño o una pesadilla? Instintivamente traté de escapar, pero la puerta estaba cerrada por fuera. Entonces me habló con la misma dulce voz que yo recordaba de los tiempos de estudiante. Me llamó por mi apellido, así me llamaban todos en la escuela:

—Yo he venido para ayudarte; ven, vamos a conversar.

—Margaret, ¡esto a mí no me gusta nada! —le respondí en tono de disgusto— ¿Qué haces aquí? ¿Y quién te autorizó a hacer esto?

—Mira, puede parecerte rarísimo que yo esté aquí, pero no lo es. Me enteré que estabas en dificultades y decidí ayudarte. Yo trabajo en un departamento muy cercano al capitán Rosas, de la Seguridad del Estado, y él me ha autorizado a resolver tu situación. Me consiguió el permiso para esta visita conyugal especial, que solamente se la conceden a reclusos muy específicos, y no necesariamente tiene que ser con la esposa, y es totalmente confidencial. Yo le fui honesta y le dije que tú siempre has significado mucho para mí. ¿Me comprendes?

—¡Yo no comprendo nada! —le conteste; no salía de mi asombro —¡Y me siento muy molesto por esta situación! ¡Yo no debo significar nada para ti! ¡Soy un hombre casado; además soy un pastor! Y lo único que he tenido siempre para ti ha sido una amistad, que me parece que tú estás rompiendo en estas circunstancias tan feas.

—Yo sabía que esta podría ser tu reacción —ella insistió—; pero vine para convencerte, y voy a insistir hasta que lo consiga. Tengo que confesarte algo: Si tú no te diste cuenta nunca, fue porque no quisiste o porque te hacías el tonto por los asuntos de tu religión. Pero ya somos adultos y tienes que saber que tú has sido siempre el hombre de mis sueños; y ahora sí que no voy a dejar pasar mi oportunidad de estar contigo. Quiero estar cerca de ti y ayudarte. Tu mujer no tiene que enterarse; yo trabajo encubierta.

Y diciendo esto, se desnudó y trató de abrazarme. Yo no esperaba tal audacia, y reconozco que esto era más difícil que enfrentarse a los presos de la Leonera. Esta sí era una leona de verdad. Pero Dios pudo más que los demonios del sexo:

—¡Apártate de mí Satanás! —le dije fuertemente en su cara— ¡No me toques! ¡Vuelve a ser la muchachita decente que yo conocí en la escuela! Si tu madre y tus hermanas se enteran de lo que tú haces, se morirán de vergüenza.

Yo no necesitaba ser muy inteligente para darme cuenta de que aunque ella estuviera diciendo la verdad, Margaret no era otra cosa que una meretriz al servicio de la Seguridad del Estado del gobierno. Era un miserable instrumento en sus manos. Caer en su trampa hubiera sido el final más vergonzoso que yo hubiera podido tener.

Yo no podía ver a mis enemigos, pero yo sabía que estaban ahí. Me acechaban como lobos hambrientos; querían devorar mi integridad, que me era más preciosa que mis propias entrañas. Me observaban a través de algún sistema que yo no podía descubrir. Pero les dije con la certeza de que me estaban mirando y oyendo: "¡Vergüenza les debería dar, utilizar métodos como estos para tratar de destruir la moral de un hombre de Dios! ¡Y dicen que su trabajo es cuidar la seguridad, desvergonzados! ¡De esto darán cuenta en el gran día que pronto vendrá!"

¡Qué experiencia tan difícil fue aquella! Si usted se encontrara en una situación como la mía, con tanto tiempo en encierro, lejos de la esposa, aparentemente solo, con una criatura tan hermosa, y en una habitación privada, sepa que ¡únicamente Dios lo podría librar! Los demonios del sexo trataron de abrumarme. Y me empujaban con pensamientos compulsivos: "¡Tonto, no lo pienses!" Honradamente les confieso que en aquel momento tuve que clamar: "¡Señor, ten misericordia de mí!"

Margaret nunca fue, o por lo menos a mí nunca me pareció que fuera, una persona con fuertes nexos con el gobierno, y jamás me hubiera imaginado que tuviera las agallas para ser una mujer tan agresiva en el terreno de la sexualidad. Pero allí llegó dispuesta a todo.

Viéndose despreciada, empezó a llorar mientras se vestía, y me dijo:

—Yo nunca pensé esto de ti; nunca pensé que me rechazarías. Pero de todas formas, aquí te dejo el nombre de la persona que está a cargo del contacto —y puso una tarjetita sobre la cama, que yo nunca recogí—. Trabaja directamente para el capitán Rosas. Si te decidieras, esta misma noche saldrías en libertad; todo lo que tienes que hacer es cooperar con él. Es un hombre de mucha autoridad; es una magnífica persona y en su departamento necesitan hombres inteligentes como tú y de tu calibre. Ellos te han estudiado bien, saben lo que quieren ¡Todo puede cambiar para ti hoy mismo! Y recuerda que yo seguiré esperando mi oportunidad. ¡Esto no queda así!

Más tarde supe, gracias al sargento G., que efectivamente

había sido una astuta trampa preparada por tres entidades fracasadas: Margaret, con sus dobles intereses, la Seguridad del Estado, para captarme o destruirme, y mi propio ex compañero, el ministro traidor que ofreció el consejo de Balaam (véase el capítulo 25 de Números). Él había estado allí observándolo todo, junto con mis enemigos, desde la habitación contigua, a través de los espejos, esperando para celebrar mi desgracia. ¡Pero Dios estaba conmigo como un poderoso gigante! ¡Él los derrotó!

El temor de Dios, que no significa "miedo a Dios" ni "aprensión", sino temor de ofenderlo, me ayudó a superar aquellos momentos difíciles. Entonces oré: "Señor, nunca te olvides de los terribles momentos que me están haciendo pasar. ¡Perdónalos! ¡Pero mantén mis lágrimas en tu redoma!"

Temer a Dios nos da la sabiduría que por naturaleza no tenemos, para diferenciar entre el bien y el mal, y para escoger lo que realmente nos conviene. Una actitud irresponsable en aquellos momentos hubiera sido un golpe fatal para mi joven esposa, para el futuro de mi primogénito que estaba por llegar, de mi hijo más pequeño que vino después, así como de toda mi descendencia. ¡Gracias a Dios por mi familia! ¡Dios me ha dado mucho más de lo que merezco!

El demonio deseaba destruir todas esas posibilidades y bendiciones que Dios pondría en mi camino. Él se regocija en que nosotros demos pasos errados en el camino de la vida, para impedir que todo lo bueno que Dios desea darnos pueda convertirse en una realidad.

Su trabajo favorito sigue siendo engañar, seducir y destruir a los hijos de Dios. Pero Dios se ha dado la tarea de enseñar, convertir y redimir a sus hijos que han caído. Él decidió no abandonarnos a nuestra suerte, cualquiera que fuese. En aquella tentación, yo pude sentir en mi interior la voz inconfundible de Jesús, diciendo: "Recuerda mi mandamiento, no cometas adulterio". ¡Qué Dios tan amante, tierno y compasivo tenemos! ¡No me abandonó a mi suerte!

Para evitar que viviéramos sufriendo y haciendo sufrir, en tinieblas e incertidumbre, en su gran sabiduría nos proveyó ese vallado de protección: Los diez grandes principios del gobierno de Dios, los Diez Mandamientos, que fueron expresados en la vida y las enseñanzas de Cristo. Estos son principios de vida escritos con el dedo de Dios en dos tablas de piedra, y que también se escriben en nuestros corazones el día en que aceptamos a Jesús como nuestro amigo y Salvador.

Los Diez Mandamientos expresan el amor, la voluntad y el propósito de Dios respecto de la conducta y las relaciones humanas, y están en vigencia para todos los seres humanos de todas las épocas.

Estos preceptos constituyen la base de la relación que Dios desea tener con sus hijos, y la norma del juicio divino ante el cual todos hemos de comparecer. Ellos, por medio de la obra del Espíritu Santo, señalan lo que es inaceptable a la vista de Dios, lo que es pecado, y nos enseñan la manera de expresar amor a Dios y a los seres humanos. También nos muestran nuestra ineludible necesidad de un Salvador.

La salvación es solo por gracia. Jamás por obras. Veamos esta sencilla formula espiritual: S=GD+N: "La salvación es igual a la gracia de Dios más nada". Es la maravillosa gracia de Dios, que salva y redime, la que nos abre las puertas al reino de su amor. Y una vez que somos salvos, el Espíritu comienza a obrar en nuestro interior; y ese poder misterioso que convence y convierte nos va transformando de gloria en gloria, y comenzamos a amar lo que antes ignorábamos u odiábamos. A la vez que amamos las cosas espirituales, que antes odiábamos, odiamos los caminos del pecado, que antes amábamos.

Entonces aparece el fruto de la salvación, que en primera instancia es la obediencia a los mandamientos. Esta obediencia desarrolla el carácter cristiano y da como resultado una dulce sensación de bienestar. La obediencia por la fe demuestra el poder de Cristo para transformar vidas, y por lo tanto fortalece el testimonio cristiano.

Cuando Dios dio los Diez Mandamientos en el Monte Sinaí, no solo se reveló a sí mismo como la autoridad suprema del universo; también se describió como el Redentor de su pueblo. Porque él es el Salvador del mundo, llamó no solo a Israel sino a toda la humanidad a obedecer diez breves pero abarcantes preceptos: "El fin de todo el discurso oído es este: Teme a Dios, y guarda sus mandamientos; porque esto es el todo del hombre" (Eclesiastés 12:13).

Los Diez Mandamientos cubren todos los deberes de los seres humanos para con Dios y para con los hombres. Si fueran obedecidos, simplemente no habría necesidad de tantos libros de leyes que han tenido que escribir los hombres para proteger a la sociedad. La Ley de Dios no solo cuida la familia, advirtiéndonos contra el delito de adulterio, sino que cubre toda la moral y la inteligencia de los seres humanos. Estos preceptos podemos aprenderlos en el libro de Éxodo, capítulo 20, versículos del 3 al 17:

"*No tendrás dioses ajenos delante de mí*" (vers. 3). El primer mandamiento nos cuida de caer en la práctica ilógica de reverenciar dioses creados por la imaginación, hechos a imagen y semejanza de las diferentes culturas. Nos advierte contra el politeísmo, que acepta la existencia de diversos dioses.

"*No te harás imagen, ni ninguna semejanza... No te inclinarás a ellas ni las honrarás...*" (vers. 4-6). El segundo mandamiento nos protege de la idolatría; o sea, de la adoración a representaciones de falsas divinidades, o la adoración a representaciones falsas del Dios verdadero. Nos protege contra esa burda práctica que lleva a los hombres a adorar astros, a un palo o una piedra convertida en imagen, a animales, al dinero, a otros seres humanos o a las obras de sus manos. Es un triste insulto a la inteligencia adorar cosa alguna que no sea al único Dios viviente, el creador de todas las cosas visibles e invisibles.

"*No tomarás el nombre de Jehová tu Dios en vano*" (vers. 7). El tercer mandamiento nos enseña a respetar a Dios, porque él es nuestro Padre y el único Dios verdadero.

"*Acuérdate del día de reposo para santificarlo. Seis días trabajarás y harás toda tu obra, más el séptimo día [sábado] es reposo para Jehová tu Dios...*" (vers. 8-11). El cuarto mandamiento nos requiere santificar el sábado. El sábado es una institución basada en un período de tiempo, 24 horas, que llega hasta nosotros desde un mundo sin pecado. Es como un regalo especial del Creador que nos permite experimentar la realidad de la comunión con él. Además nos ofrece la oportunidad del reposo físico, tan necesario para nuestro cuerpo y mente. Dios también reposó, pero no porque estuviera cansado o agotado, sino porque él quiso establecer un ejemplo para los seres humanos. Él espera que nosotros descansemos, santifiquemos ese día y lo adoremos.

"*Honra a tu padre y a tu madre, para que tus días se alarguen en la tierra*" (vers. 12). El quinto mandamiento nos exhorta a honrar a nuestros padres. No solamente requiere que los hijos nos sometamos a nuestros padres como los agentes asignados por Dios para la transmisión de su voluntad y conservación de la familia para las generaciones futuras, sino que los tratemos con amor y los honremos en toda su dignidad. En este mandamiento está incluida una promesa de longevidad, que obviamente contempla también la vida eterna.

"*No matarás*" (vers. 13). El sexto mandamiento prohíbe matar. Es un mandamiento dado para proteger la vida y nos enseña a considerarla sagrada. No debiéramos ni siquiera con el pensamiento desear la muerte o el mal a ninguna persona. Doy gracias a Dios porque ya no siento rencor por aquellos que me hicieron mal. He perdonado a mis perseguidores, a los agentes del gobierno que ordenaban registros policiales en mi casa en busca de mis sermones escritos simplemente a máquina (una *Underwood* muy antigua), porque decían que era una reproducción ilegal de literatura religiosa. He perdonado a los funcionarios del gobierno que me perseguían mientras yo daba mis estudios bíblicos, incluyendo a los que me encarcelaron y me separaron de mi familia. Los he dejado en las manos del Todopoderoso. Dios dice: "No os venguéis vosotros mismos, amados míos, sino dejad lugar a la ira de Dios; porque escrito está: Mía es la venganza, yo pagaré, dice el Señor (Romanos 12:19).

"*No cometerás adulterio*" (vers. 14). El séptimo mandamiento condena el adulterio, pues tiene como propósito principal la protección del vínculo familiar; y prescribe la pureza de la relación marital. En los tiempos actuales, más que nunca antes, establece una salvaguarda contra enfermedades de transmisión sexual muy peligrosas. La obediencia al séptimo mandamiento en una vacuna contra el SIDA.

"*No hurtarás*" (vers. 15). El octavo mandamiento reprueba el robo; es un vallado de protección en torno de la propiedad ajena. ¡Qué pena que en una civilización supuestamente tan desarrollada tengamos que vivir entre cerraduras, alarmas, rejas y candados! Si todos respetáramos este mandamiento, ¡qué fácil y agradable sería la vida en nuestras ciudades y también en el campo!

"*No hablarás contra tu prójimo falso testimonio*" (vers. 16). El noveno mandamiento prohíbe la calumnia, resguarda la verdad y condena el perjurio. ¡Cuánto sufrimiento y angustia innecesaria provoca la persona calumniadora! De su boca infectada sale la mentira, que al ser esparcida mancha a su víctima, que en muchos casos no tiene forma de defenderse. Porque el calumniador generalmente es cobarde; se esconde en las sombras, y al ser confrontado niega su vil acción. Mucho más vil aun es calumniar a un amigo o a un familiar. Es simplemente incomprensible. Generalmente la violación de este mandamiento se conecta con otro pecado que corroe al que lo sufre: la envidia. Este es el pecado ante el cual nadie puede prevalecer. No hay forma de protegerse del envidioso. Es como un alacrán que lleva el veneno dentro. El calumniador puede hasta parecer una persona honesta y espiritual, puede vestirse como tal, pero recordemos siempre: Un día, su veneno lo matará; y más aun, tendrá que enfrentar el mandamiento de la Ley de Dios, que dice: "¡No hablarás contra tu prójimo falso testimonio!"

"*No codiciarás la casa de tu prójimo, no codiciarás la mujer de tu prójimo, ni su siervo, ni su criada... ni cosa alguna de tu prójimo*" (vers. 17). El décimo mandamiento condena la codicia y alcanza la raíz de todas las relaciones humanas al prohibir el deseo voraz por lo que pertenece al prójimo.

Los Diez Mandamientos poseen la distinción especial de ser las únicas palabras que Dios habló en forma audible ante una nación entera. También es la única porción de la Biblia que Dios no quiso dar por inspiración a los profetas, y decidió escribirla con su propia mano y se la entregó a Moisés para que la presentara al pueblo: "Estas palabras habló Jehová a toda vuestra congregación en el monte, de en medio del fuego, de la nube y de la oscuridad, a gran voz; y no añadió más. Y las escribió en dos tablas de piedra, las cuales me dio a mí" (Deuteronomio 5:22).

"Y dio a Moisés, cuando acabó de hablar con él en el monte de Sinaí, dos tablas del testimonio, tablas de piedra escritas con el dedo de Dios" (Éxodo 31:18).

Jesús dijo: "De cierto, de cierto os digo, que todo aquel que hace pecado, esclavo es del pecado" (S. Juan 8:34). Cuando no obedecemos los mandamientos de la Ley de Dios, no tenemos libertad; porque es la obediencia a los mandamientos la que nos asegura la verdadera libertad. Vivir dentro de los lindes protectores de la voluntad de Dios significa libertad del pecado. Además, significa liberarnos de lo que acompaña al pecado: La continua preocupación, las heridas de la conciencia, y una carga creciente de culpabilidad y remordimiento que desgasta nuestras fuerzas vitales. Dice el salmista: "Y andaré en libertad, porque busqué tus mandamientos" (Salmos 119:45).

Una vez salvos por la sangre de Cristo, ¡todos podemos ser libres! No es una fórmula complicada. Con la ayuda divina vivamos en armonía con los preceptos de la ley de Dios. "¡Y conoceréis la verdad, y la verdad os hará libres!" (S. Juan 8:32).

Hasta un preso puede encontrar libertad en Jesús; porque esa libertad trasciende los muros y las rejas de cualquier prisión de máxima seguridad.

EL CUMPLIMIENTO DEL TIEMPO

"Pero cuando vino el cumplimiento del tiempo, Dios envió a su Hijo, nacido de mujer y nacido bajo la ley" (Gálatas 4:4).

Cada tarde, después de comer los alimentos, el grupito de creyentes nos sentábamos en la parte más ancha, o más bien más vacía de la galera, exactamente cerca de las rejas de entrada. Allí cantábamos hasta que el guardia nos mandaba a callar. Algunos guardias nos tenían más paciencia que otros; y hasta hubo algunos que venían disimuladamente y se ponían a cantar con nosotros, ubicados del otro lado de las rejas. Yo les enseñaba al grupo cantos espirituales e himnos, pero a veces, para confundir al enemigo, también cantábamos algunas canciones folclóricas, hasta que se fueron acostumbrando a nuestros cantos. No puedo pensar sino que fue la Providencia de Dios la que nos protegió y ocultó por tanto tiempo, usando al sargento G., y también tapando la boca de los guardias para que no impidieran el progreso de nuestros estudios bíblicos. Pero por alguna razón les impresionaba mucho cuando cantábamos un himno titulado: "¡Oh! cuán gratas las nuevas". Más adelante les hablare más de esto.

Durante muchas tardes, aproximadamente a la misma hora, o sea después de la acostumbrada reunión con el grupo, Leonardo le pedía al guardia que me llevara a su celda, y allí hacíamos un tipo de estudio bíblico en secreto. Pues el "jefe" no quería que la gente se enterara que él ya no era el fiero León de antaño. Quizá se avergonzaba un poco o temía las reacciones de sus antiguos partidarios. Aunque no teníamos una Biblia, yo utilizaba los textos que tenía en mi memoria. Leonardo me dijo que él aguzaba el oído para escuchar también lo que hablábamos en la galera durante nuestras reuniones, y que también cantaba los himnos y canciones con nosotros.

Una tarde cuando fui a su celda, me dijo:

—¡Le tengo una sorpresa!

—¿De qué se trata?

Me presentó una Biblia. Y emocionado le dije:

—¡Esto es una maravilla! ¿De dónde la sacaste?

—La traje en el tren — me contestó casi en un susurro.

—¿El tren?

—Venga, esto es un secreto —y me enseñó en qué consistía el misterioso tren.

Fue la cosa más ingeniosa que yo me podría imaginar en la prisión. La idea la trajo un preso que había estado en la famosa "Circulares de Isla de Pinos", un presidio históricamente conocido por su rigor, y que estaba en una isla del archipiélago cubano, hoy conocida como la Isla de la Juventud. El prodigio del "tren" consistía en una cuerdecita tejida a mano con hilos de calcetines. Les tomó meses ir deshilando todos los calcetines que podían conseguir. Los que sabían el plan donaron los suyos; y los otros... ya sabemos cómo los conseguían: Algunos se quejaban de que los calcetines desaparecían como por arte de magia. Pero así tejieron una cuerda que era muy resistente, aunque muy fina y casi invisible. La celda de Leonardo tenía una ventana que daba al patio interior de la prisión, igual que otras muchas celdas y galeras. Y el sencillo sistema fue ideado para transporte y comunicaciones: noticias escritas en papeles, cartas de amigos, cigarrillos, publicaciones pornográficas, etc.

Acabó siendo tan efectivo, que cuando ocurrían las llamadas "requisas" ordenadas por la Dirección, los presos trasladaban en la noche anterior esos "objetos preciados" de un extremo al otro de la prisión. Entonces, a la siguiente noche los regresaban otra vez a su lugar. ¿Que cómo funcionaba? Todo fue cuestión de ingenio y paciencia: Cuando la cuerdecilla estuvo lista, y tuvo el largo suficiente (el doble del largo del patio interior de la prisión), esperaron que un día el viento soplara en la dirección apropiada, entonces hicieron volar una especie de papalote o cometa muy rústica y simple, hecha de papel. Cuando la cometa remontó hasta una ventana del piso más alto de la prisión, la tomaron e hicieron pasar la cuerdita por detrás de un barrote. Luego, halando solamente de un lado, hacían que las cosas atadas al otro lado de la línea llegaran fácilmente al otro extremo del patio, es decir a la ventana de otra celda. Como estaba a varios pisos arriba, bien alto, y tan delgado, nadie se imaginaba que estuviera allí, y pasó mucho tiempo hasta que la descubrieran, llevando y trayendo enseres y encargos.

—Yo tengo un contacto en el otro lado donde no hay tantas restricciones —Leonardo sonreía como un niño que ha hecho una buena travesura—. Ellos salen a trabajar en carreteras y en otras cosas para el gobierno. La pudieron conseguir y entrar. Me va a costar una buena cuota de cigarros, pero lo doy por bien servido. Creo que nos será muy útil. Puede quedársela; y cuando anuncien requisa, ya sabe, la mandamos para el otro lado y otra vez de regreso.

Para pasarla a mi galera, la escondí en la espalda, apretada con el cinto del pantalón. Sentí algo muy bonito en mi corazón en el momento que tuve nuevamente una Biblia en mis manos. Luego la revestí con las tapas de una novela, que alguien había dejado en el baño, del escritor ruso León Tolstoi. Así la protegí de la vista de los guardias en caso de algún descuido. Pero nunca, gracias a Dios, nos sorprendieron con la Biblia. Y cuando yo salí en libertad, Leonardo la heredó, y aprendió a usarla muy bien. Yo le puse una serie de estudios bíblicos que conectaba un texto con otro, como una cadena, para que pudiera estudiar y enseñar varias de las principales doctrinas de la Biblia. Por ejemplo, la segunda venida de Cristo, las señales de su venida, la salvación, el estado de los muertos, lecciones sobre el santuario, etc.

Los miembros del grupo original habían comenzado a compartir sus vivencias de las últimas semanas con los reclusos que encontramos en la nueva galera. Y yo me sentía bien al oírlos hablar de todas las experiencias, que ellos llamaban sobrenaturales, que vivieron en nuestra "celda de bienvenida". Algunos empezaron a hablar acerca de cambios en sus vidas. Y agradecí a Dios. ¡La testificación había comenzado!

Es muy difícil sentir el toque del amor de Dios en la vida y no hablar a otros acerca de esta grandiosa experiencia, aunque seas un condenado a cadena perpetua. Así que cada día eran más los que se acercaban para oír; algunos solo por curiosidad, pero otros estaban experimentando una genuina transformación. Su vocabulario cambiaba día a día. Ya no peleaban ni maldecían; poco a poco abandonaban el feo hábito de llamarse con sobrenombres ofensivos y epítetos vulgares. Y comenzaron a llamarse "hermanos" entre sí. Esa era la palabra que yo usaba cuando me dirigía a ellos de manera muy respetuosa y ellos adoptaron la misma costumbre. Algo grande y bueno estaba comenzando a suceder.

El día anterior les había hablado del nacimiento milagroso de Jesús, de cómo nació en Belén de Judea, y que nació de la virgen María por obra y gracia del Espíritu Santo. Aquel día, muchos lograron comprender la obra de un profeta; y les expliqué el significado de la más importante de todas las profecías de la Biblia, conocida como "la profecía de las setenta semanas". Esta profecía ubica en la historia, con exactitud meridiana, el momento cuando Jesús nació en esta tierra y el tiempo cuando retornará por segunda vez. Daniel anunció quinientos años antes la primera venida de Jesús. Y también se refirió a las señales del tiempo cuando volvería nuevamente.

Varios se revolvían entre sus dudas, y protestaron. Almansa alzó la voz y me dijo:

—¿Pero cómo es posible que un hombre pueda anunciar algo que va a suceder más de cinco siglos después?

—"Porque nunca la profecía fue traída por voluntad humana —les leí de mi nueva Biblia—, sino que los santos hombres de Dios hablaron siendo inspirados por el Espíritu Santo" (2 Pedro 1:21). Daniel fue un profeta, el Señor le reveló lo que iba a suceder. No hay poder humano que pueda predecir con exactitud el futuro. Únicamente Dios lo sabe, porque él ve el final desde el principio. Hay falsos vaticinadores y adivinos que dicen saber el futuro y engañan a la gente durante un poco de tiempo; algunos de ellos tocan la flauta como el burro de la fábula, y aciertan con algunos vaticinios. Pero sus artificios y argucias por lo general quedan de manifiesto. Solamente un verdadero profeta puede predecir acontecimientos con anticipación de años y aun de siglos, y cumplirse al pie de la letra. Porque es Dios quien se los revela. Vamos a someter esta profecía a prueba, y si no pasa la prueba, desechémosla y abandonemos la Biblia como el libro inspirado de Dios. ¿Les parece bien?

—¡Bien! ¡Bien! —respondieron varios. Almansa, siempre sentencioso, dijo:

—Maestro, ¿no le parece que esta afirmación es un poco temeraria? ¿Estaría usted realmente dispuesto a abandonar la Biblia, si probáramos que esta profecía es una fábula como las de tantos otros?

—Hermano Almansa —le respondí amablemente—, ¡yo sé en quien he creído! Si no estuviera totalmente seguro de mi fe y de mi creencia en la Biblia, como la segura Palabra de Dios, hoy no estaría aquí! Yo no sería un prisionero de conciencia.

Este entendimiento fortaleció la fe de los nuevos creyentes, tanto en Cristo como el divino Hijo de Dios, como en la Biblia, su Palabra. En aquel día, la Biblia pudo ser confirmada definitivamente para muchos de los habitantes de la Leonera, como la fuente confiable, que llegaría a ser su norma de fe y práctica. Ya que tiempo no nos faltaba, les pude explicar con lujo de detalles el exacto cumplimiento de estas y otras predicciones del profeta Daniel; especialmente me esmeré en ayudarles a entender el capítulo nueve de su libro, donde anuncia de manera asombrosa la fecha exacta de cuando aparecería Jesucristo, el Mesías, para traer el perdón y la salvación al hombre caído en el pecado. Este tema es importante; porque si hemos de creer en Jesús, si hemos de aceptarlo como amigo y Salvador, debemos conocer toda la evidencia y estar convencidos de que es genuino.

Me hicieron cientos de preguntas más, muy buenas, que me llevaron a leerles la siguiente porción de la Escritura:

> Aún estaba hablando y orando... cuando el varón Gabriel, a quien había visto en la visión al principio, volando con presteza, vino a mí como a la hora del sacrificio de la tarde. Y me hizo entender, y habló conmigo, diciendo: Daniel, ahora he salido para darte sabiduría y entendimiento. Al principio de tus ruegos fue dada la orden, y yo he venido para enseñártela, porque tú eres muy amado. Entiende, pues, la orden, y entiende la visión.
>
> Setenta semanas están determinadas sobre tu pueblo y sobre tu santa ciudad, para terminar la prevaricación,

> y poner fin al pecado, y expiar la iniquidad, para traer la justicia perdurable, y sellar la visión y la profecía, y ungir al Santo de los santos. Sabe, pues, y entiende, que desde la salida de la orden para restaurar y edificar a Jerusalén hasta el Mesías Príncipe, habrá siete semanas, y sesenta y dos semanas; se volverá a edificar la plaza y el muro en tiempos angustiosos.
>
> Y después de las sesenta y dos semanas se quitará la vida al Mesías, mas no por sí; y el pueblo de un príncipe que ha de venir destruirá la ciudad y el santuario; y su fin será con inundación, y hasta el fin de la guerra durarán las devastaciones. Y por otra semana confirmará el pacto con muchos; a la mitad de la semana hará cesar el sacrificio y la ofrenda. Después con la muchedumbre de las abominaciones vendrá el desolador, hasta que venga la consumación, y lo que está determinado se derrame sobre el desolador (Daniel 9:20-27).

Cuando uno estudia con corazón sincero y mente abierta esta profecía, es difícil rechazar que Jesús es el verdadero Mesías: Quinientos años antes de su nacimiento, Daniel predice el año del bautismo de Cristo, el año de su crucifixión, y el año en que el evangelio empezaría a proclamarse al mundo.

Esta profecía es además una evidencia muy poderosa y convincente a favor de que la Biblia no es un libro común, sino la Palabra de Dios.

Entendiendo el lenguaje profético

Ya que las setenta semanas son claramente un símbolo profético de tiempo, se deben interpretar de acuerdo al principio de "día por año", enunciado en Ezequiel 4:6 y en Números 14:34. Sobre esta base, que es aceptada por la mayoría de los estudiosos de las profecías, las setenta semanas equivalen a setenta multiplicado por siete, que son los días que tiene cada semana, lo que es igual a 490 días, o sean 490 años.

Identifiquemos los cinco grandes eventos mencionados en esta profecía:

- Saldrá una orden para restaurar y reconstruir a Jerusalén, que estaba arruinada.
- Se tornará a edificar la plaza y el muro.
- Al fin de ese período, vendrá el Mesías Príncipe.
- Se quitará la vida del Mesías "a la mitad" de la semana.
- El tiempo de gracia dado para la nación judía terminaría al final de las setenta semanas proféticas.

La orden efectiva para reedificar a Jerusalén fue finalmente el decreto expedido por el rey Artajerjes de Medo-Persia, en 457 a.C., que además de confirmar dos decretos pendientes, emitidos con anterioridad por los reyes Ciro y Darío respectivamente, autorizaba a los judíos a formar su propio gobierno y facultaba la adoración en dicha ciudad.

En las primeras siete semanas, o sean 49 años (Daniel 9:25), se reedificarían los muros de la ciudad, la que empezó a tomar forma en 408 a.C.

Hasta el Mesías Príncipe

Queda muy claro que el Mesías aparecería en escena al final de las sesenta y nueve semanas, o sea, cuatrocientos ochenta y tres años. Empezando, pues, a contar el tiempo en octubre de 457 a.C., fecha de la orden para reconstruir Jerusalén, nos lleva exactamente al año 27 de la Era Cristiana, cuando Jesús fue bautizado por Juan en el río Jordán, y comenzó oficialmente su ministerio.

Este dato pareciera contradecir el texto del Evangelio de Lucas, que dice que Jesús tenía 30 años cuando fue bautizado: "Aconteció que cuando todo el pueblo se bautizaba, también Jesús fue bautizado; y orando, el cielo se abrió... Jesús mismo al comenzar su ministerio era como de treinta años, hijo, según se creía, de José, hijo de Elí" (S. Lucas 3:21-23). Sin embargo, el relato es preciso y no tiene ninguna contradicción, pues la diferencia de tres años no es de la profecía, sino de Dionisio el Exiguo, que mucho después, cuando hizo su calendario, cometió un error de tres años al ubicar el comienzo de la era cristiana en relación con la fundación de Roma. Así que esos tres años perdidos en el calendario nunca fueron arreglados. Por eso, ahora podemos entender por qué Jesús era ya como de treinta años cuando fue bautizado en el año 27 de la Era Cristiana.

Entonces, Jesús realizó su ministerio público durante tres años y medio, predicando, sanando, haciendo bien a los oprimidos por el diablo y trayendo libertad a los cautivos del pecado. Pero estaba predicho que él vendría a entregar su vida en rescate por muchos. Su sangre debía ser derramada como la sangre de un cordero, manso, puro y sin contaminación, para pagar el precio de nuestros pecados.

Así que a la mitad de la septuagésima semana (70ª), le fue quitada la vida al Mesías. La evidencia de que Cristo "hizo cesar el sacrificio y la ofrenda" diaria que ofrecían en el templo está registrada en los Evangelios, que afirman que en el momento de su muerte el velo del templo se rasgó en dos (ver S. Mateo 27:51; S. Marcos 15:38; S. Lucas 23:45). Es decir, cesaron los sacrificios que realizaban los judíos como símbolo de la salvación que vendría por la muerte del Mesías. El "Cordero inmolado desde antes de la fundación del mundo" hizo innecesario los sacrificios (ver Apocalipsis 5:12).

Observemos que Cristo confirmaría "el pacto a muchos por

otra semana", o siete años, tal como lo predijo Daniel (Daniel 9:27). Es decir, "confirmó el pacto" durante siete años, que fueron divididos en dos etapas: En los primeros tres años y medio, mediante el ministerio personal de Cristo; y en los otros tres años y medio, mediante la predicación de los discípulos. Estos fueron los últimos siete años dados de gracia a la nación judía.

Finalmente, en 34 d.C., los apóstoles comenzaron a llevar el evangelio abiertamente a otras naciones y pueblos, terminando así el período profético de las setenta semanas. En muchos sentidos, este período de setenta semanas o cuatrocientos noventa años, fue el gran clímax de los siglos, hacia el cual contemplaban los patriarcas, los profetas y los reyes, que sería consumado por la aparición, el ministerio y la muerte expiatoria del Mesías.

Las profecías se han ido cumpliendo:

- Jesús nació en Belén (S. Mateo 2:1-6).
- Vivió haciendo bienes y sanando a los oprimidos por el diablo (S. Marcos 1:34).
- Murió en la cruz para salvarnos (S. Juan 19:17-30).
- Resucitó al tercer día (S. Lucas 24:1-7).
- Ascendió a los cielos (S. Marcos 16:19-20).
- Y ahora está intercediendo por nosotros en el Santuario celestial (Hebreos 8:1-6).

Todos estaban maravillados al saber que el plan del Creador se había cumplido en el momento exacto indicado por él; y que como las estrellas en su vasto derrotero, los planes de Dios no conocen ni premura ni demora. Tal como lo dijo el apóstol Pablo a los creyentes de Galacia: "Pero cuando vino el cumplimiento del tiempo, Dios envió a su Hijo, nacido de mujer, y nacido bajo la ley, para que redimiese a los que estaban bajo la ley, a fin de que recibiésemos la adopción de hijos. Y por cuanto sois hijos, Dios envió a vuestros corazones el Espíritu de su Hijo, el cual clama: ¡Abba, Padre! Así que ya no eres esclavo, sino hijo, también heredero de Dios por medio de Cristo" (Gálatas 4:4-7).

Entender estas verdades fue tan significativo para estos presos y tan precioso para sus almas cautivas, que muchos de ellos lo repetían continuamente, y otros gritaban: "¡Soy libre! ¡Soy libre! ¡Soy libre en Cristo Jesús!" Tal fue el impacto sobre la población del penal, que hubo gran contención y también muchas críticas. Los que no entendían el concepto de la "libertad en el Espíritu" acusaban de "locos" a los creyentes; así que ese día, se hizo necesario un estudio adicional para armonizar el conocimiento y la realidad de cada individuo.

A media mañana, más que una reunión de estudio, aquello parecía un motín. Pedro Malagón, un moreno corpulento que cumplía una sentencia de por vida, vociferaba en su ignorancia:

—¡Yo tenía un Jesús! Uno de los buenos, era de esos de bronce, siempre lo tenía colgado en la cabina de mi camión, y el día de mi accidente no hizo nada por mí. ¡No me pudo ayudar! No impidió que yo hiciera la animalada que hice.

Después me contaron que Malagón, manejando un camión enorme, un KP3 de fabricación soviética, había embestido a toda velocidad y con toda mala intención a un grupo de cinco personas, para matar al jefe de personal de su brigada de trabajo. Todo por ciertas diferencias relacionadas con su necesidad de participar en las llamadas microbrigadas. Estas llamadas microbrigadas construían apartamentos, que una vez terminados se asignaban por renta a los miembros del grupo cuando les llegaba su turno. Pero este beneficio era solo para los que tenían el privilegio de ser aceptados en el plan. Los criterios para participar en las microbrigadas eran basados en méritos ganados por el trabajador, como por ejemplo: tener cierta cantidad de horas de "trabajo voluntario" acumuladas, y sobre todo, la actitud política, etc. Y aunque este proceso era largo, sacrificado y requería muchos meses de trabajo sin paga, era la única esperanza para muchos obreros de llegar a tener una vivienda. Malagón llevaba casi diez años viviendo en un cuarto sin baño privado, con su esposa y cuatro hijos, en un caserón donde vivían muchas otras familias. Anhelaba un apartamento privado. Él justificaba su crimen diciendo que el jefe del personal había hecho manejos sucios que le impidieron participar del plan que le daría el derecho a alquilar el apartamento tan soñado. Ese "compañero" le había dado la oportunidad a otro trabajador, que según él juraba "tenía menos méritos, pero era su pariente cercano".

Entonces, en aquel aciago día, y aprovechando la oportunidad de que el odiado jefe del personal se encontraba en aquel grupo, en los predios de un estadio para jugar béisbol, lo atropelló, sin siquiera detenerse a pensar que allí había otros compañeros de trabajo que no tenían nada que ver con su problema. Así se vengó tan brutalmente. Alcanzó su objetivo, pero en la agresión murieron tres de las cinco personas del grupo; de los dos restantes, uno quedo paralítico y el otro tuvo lesiones graves.

Realmente daba lágrimas ver a aquel mastodonte lamentándose como un niño y culpando a su Cristo de bronce:

—¿Qué libertad me puede dar ahora, si aquel día se quedó allí, colgadito, mirándome pero sin verme? ¡Se quedó con sus brazos tiesos! ¡Si solamente hubiera torcido el timón del camión, y me hubiera desviado unos dos metros, nada hubiera pasado! Y yo estaría allá afuera. ¡Yo no creo más en él! ¡Ni creo en nada!

—No te confundas Malagón —el hermano Gravarán le trataba de aclarar con espíritu fraternal, y me conmovió muchísimo—, yo pensaba lo mismo que tú. Yo creía que Dios, Jesús y la virgen eran esas figuras que mi madre tenía colgadas en la pared. Pero he entendido que esas imágenes no comen, ni beben, ni huelen, ni pueden pensar, porque son solamente eso, imágenes. Ahora he aprendido que Dios es real, que es Espíritu, y que hay que adorarlo en espíritu y en verdad. Es igual que esta foto que yo tengo aquí de mi mamá: si yo le pido a la foto que me dé un almuerzo, la foto no puede; pero si yo pudiera pedírselo a mi madre en persona, ella si podría ayudarme. Además, esos cuadros y esas imágenes no son ninguna foto de Dios. Nadie tiene una foto de Dios, ni de Jesús, ni de la virgen. El único culpable de tu condena eres tú mismo, y el único que te puede librar de toda esa conciencia culpable y darte perdón es Jesús; pero el Jesús de verdad, el que está vivo, no un muñequito hecho por otro hombre igual que tú.

Así que motivado por lo que estaba sucediendo, les volví a hablar largamente de Jesús, y les hablé más o menos así:

—Escuchen hermanos, tengan paz y atiendan… Dios había hablado a los hombres durante siglos, desde la caída en el pecado de nuestros primeros padres, Adán y Eva, por medio de la naturaleza, las figuras, los símbolos, los patriarcas y los profetas. Pero llegó el tiempo, el momento histórico, la ocasión suprema, de que Dios se manifestara en carne. Fue necesario que él viniera a este mundo y se hiciera hombre como uno de nosotros, pero sin dejar de ser Dios. Ya vimos que el profeta Daniel lo anunció con siglos de anticipación. Cuando el mundo conocido se encontraba bajo un solo gobierno, el Imperio Romano, cuando había un idioma común que era reconocido como la lengua literaria, el idioma griego, y cuando comenzaron a construirse caminos para llegar hasta los lugares más remotos, factores todos que facilitarían la comunicación entre las diferentes comunidades y naciones, y por otras razones que los humanos desconocemos, Dios dijo: ¡Ahora! Y su eterno Hijo se presentó voluntariamente en el pavoroso campo de batalla para rescatar a la humanidad caída.

¿Era Jesús judío?

—Maestro —apuntó Almansa—, algo que me parece contradictorio acerca de Jesús es que se dice que nació de la virgen María y también se dice que es Dios. ¿Cómo es posible que Dios sea hijo de una campesina hebrea, que debe de haber vivido como unos cuatro mil años después de Adán, si Dios creó a Adán logicamente los mismos cuatro mil años antes que María naciera?

—¡Muy buena pregunta, hermano Almansa! —contesté—. Necesitamos entender que cuando hablamos de Jesús, el Cristo, no estamos hablando de un hombre que trató de hacerse Dios. Cuando hablamos de Cristo, el Mesías, estamos hablando de Dios, el Dios Eterno y Creador, que decidió hacerse hombre para salvar a la humanidad de la muerte eterna, ocasionada por la caída en el pecado. Recuerden esto muy bien: ¡La historia de Jesús no es la historia de un hombre que quiso hacerse Dios! ¡Es la historia de Dios que decidió hacerse hombre! ¡Jesucristo era, es y seguirá siendo Dios que tomó la naturaleza humana y se hizo hombre para venir a salvarnos! En todo el universo no existe otro como él: ¡Dios y hombre verdadero!

—¡Ya entiendo Maestro! —exclamó Godofredo—. El asunto es que Jesucristo era algo así como mitad Dios y mitad hombre.

—¡No, mi querido hermano Godofredo, Jesucristo era y es ciento por ciento Dios y vino también a ser ciento por ciento hombre. Él no es la mitad de un dios y la mitad de un hombre. Él es totalmente Dios, como Dios el Padre, y totalmente hombre como tú y como yo. Este acto del amor de Dios es algo sobrenatural, es la esencia de un gran misterio, sobre el cual estaremos aprendiendo durante todos los siglos de la eternidad, el misterio de la piedad: "E indiscutiblemente, grande es el misterio de la piedad: Dios fue manifestado en carne, justificado en el Espíritu, visto de los ángeles, predicado a los gentiles, creído en el mundo, recibido arriba en gloria" (1 Timoteo 3:16). Jesús ha sido, a través de las edades sin fin: Magnífico e Insuperable, Mentor esforzado, Dios Todopoderoso, Creador eterno y alteza de la armonía universal. Al mismo comienzo del Evangelio del apóstol Juan, por inspiración divina, el evangelista declara que Dios el Hijo era coeterno con el Padre: "En el principio era el Verbo, y el Verbo era con Dios y el Verbo era Dios. Este era en el principio con Dios. Todas las cosas por él fueron hechas, y sin él nada de lo que ha sido hecho, fue hecho. En él estaba la vida, y la vida era la luz de los hombres" (S. Juan 1:1-4).

Un silencio penetraba cada rincón de aquel oscuro lugar ahora iluminado por la Palabra de Dios. Todos escuchaban reverente esta profunda lección de cristología. Y continué diciendo:

—El pecado había separado a Adán y Eva de la fuente de vida, y debiera haber causado su muerte de inmediato. Pero Dios el Hijo se interpuso entre ellos y la justicia divina, salvando el abismo, impidiendo así que la muerte actuara sobre ellos. Aún antes de la cruz, su gracia mantuvo vivos a los pecadores y les aseguró la salvación; pero a fin de restaurarnos completamente como hijos e hijas de Dios, tuvo que convertirse en hombre. Este sublime acto de misericordia se realizó, no porque la Deidad lo necesitara de alguna manera, sino porque la humanidad se desvió del buen camino. Yo lo concretaría como la suprema acción del Creador que se convierte en el Salvador de la obra de sus propias manos. Por causa del pecado, que se define como la transgresión de la Ley de Dios (ver 1 Juan 3:4), la raza humana se vio en peligro de sufrir la muerte eterna. La Ley de Dios demandaba la vida del pecador, pero en su amor infinito, Dios entregó a su Hijo como sustituto y fiador: "Porque de tal manera amó Dios al mundo, que ha dado a su Hijo unigénito, para que todo aquel que en él cree no se pierda, más tenga vida eterna" (S. Juan 3:16).

Hice un breve silencio como para que asimilaran esa verdad suprema, y proseguí con textos de los profetas que precisaban con claridad meridiana las cualidades del Mesías y aun el lugar de nacimiento:

—El profeta Isaías predijo que el Salvador vendría como un niño varón y que sería tanto humano como divino: "Porque un niño nos es nacido, hijo nos es dado, y el principado sobre su hombro; y se llamará su nombre Admirable, Consejero, Dios Fuerte, Padre Eterno, Príncipe de Paz (Isaías 9:6). El lugar de su nacimiento fue predicho también por el profeta Miqueas: "Pero tú, Belén Efrata, pequeña para estar entre las familias de Judá, de ti me saldrá el que será Señor en Israel (Miqueas 5:2). El nacimiento de esta Persona divino-humana sería sobrenatural. Haciendo referencia a las predicciones de Isaías profeta (Isaías 7:14), el evangelista Mateo declara: "He aquí, una virgen concebirá y dará a luz un hijo. Y llamarás su nombre Emanuel, que traducido es: Dios con nosotros" (S. Mateo 1:23). La misión del Salvador se expresa en las siguientes palabras: "El Espíritu del Señor está sobre mí. Por cuanto me ha ungido para dar buenas nuevas a los pobres; me ha enviado a sanar a los quebrantados de corazón; a pregonar libertad a los cautivos, y dar vista a los ciegos; a poner en libertad a los oprimidos; a predicar el año agradable del Señor (S. Lucas 4:18, 19).

Libertad a los cautivos

—Sí, mis hermanos —repetí después con estusiasmo y energía—, esto se entiende espiritualmente; pero significa: libertad a los cautivos, y a los presos apertura de la cárcel. Porque no importa que estemos aquí, podemos ser libres en Cristo, libres de nuestras culpas, de nuestros pecados pasados, libres para amar a Dios, a nuestra familia, aunque esté lejos, y libres para amar a nuestros semejantes.

Tan inflamado se volvió este discurso que los presos empezaron a aplaudir.

—¡Por favor no me aplaudan! —yo les pedí.

—¡No es a ti, Maestro, es a lo que tú acabas de decir! —gritó Gravarán.

Entonces yo también me uní en alabanza a Dios por todo lo bueno que hizo por mí, y por el gran sacrificio que realizó para salvarnos.

—¡Cuán incomprensible es este acto de condescendencia! —concluí entonces— Dios el Hijo eterno pagó por sí mismo en forma sustitutiva la pena del pecado, de todos los crímenes, delitos y pecados cometidos por todos los que estamos aquí en esta prisión, en todas las otras prisiones del mundo y por todos los que han pecado a través de la historia y alrededor del mundo, llegando hasta ti y hasta mí.

Entonces les pedí que todos los que aceptaran a Cristo como amigo, Señor y Salvador, se pusieran de rodillas para orar y entregar nuestras almas y hacer un compromiso de seguir a Jesús, costara lo que costara. Alrededor de quince reclusos hicieron pacto con Dios aquella tarde. El nombre de Jesús era mencionado en todos los rincones de la galera. Para muchos reclusos era objeto de regocijo; la salvación había llegado a aquella lúgubre casa; y se oían alabanzas por encima de las maldiciones y juramentos.

También debo reconocer que el Nombre llegó a ser causa de disensión, y de muchas discusiones e interminables debates. La ola producida por las buenas nuevas del evangelio, de alguna manera pasaba a las otras galeras y celdas. Las discusiones eran primariamente con los ateos y espiritistas, pues los convictos que estaban en la Leonera, casi el ciento por ciento por crímenes de sangre u otras horribles perversiones, nunca habían asistido a un templo cristiano. Por eso, casi la totalidad de los que aceptaban a Cristo, lo hacían por primera vez. Nunca habían estado expuestos a la predicación del evangelio.

Entonces entendí con más claridad por qué fue necesario que alguien pasara injustamente por aquel valle de sombra y de muerte. Quedé confirmado en mi convicción de que Dios tiene un plan para darse a conocer a los seres humanos, aunque estos se encuentren en las condiciones más desesperantes. Su mano amorosa y todopoderosa se extiende a través del abismo de la angustia y del dolor. ¡Hay esperanza para todos!

Si usted, querido lector, se encuentra en momentos difíciles, ¡nunca pierda la esperanza! Dios sigue teniendo el mismo poder de siempre para obrar maravillas, transformar vidas y satisfacer nuestras necesidades.

Lo invito ahora mismo a que se arrodille, a que ore y hable con el Señor. Dé gloria a Dios, y ríndase a él, poniendo sus problemas, sus preocupaciones y su vida a sus pies. Él no lo va a rechazar ni dejarlo fuera de su círculo, porque dice: "Al que a mí viene, no le echo fuera" (S. Juan 6:37).

¡Si ya es un cristiano maduro y fiel, renueve su pacto y camine siempre con Jesús! Si está en problemas, él tiene soluciones para usted. "¡Sea libre en Cristo!" ¡Aduéñese de la fe! ¡Nunca pierda la esperanza!

¡LA BIENAVENTURADA ESPERANZA!

"Aguardando la esperanza bienaventurada y la manifestación gloriosa de nuestro gran Dios y Salvador Jesucristo" (Tito 2:13).

Llegar a comprender la realidad histórica de Cristo, que Jesús fue y es un ser real, un personaje histórico, y que todas las fechas proféticas relacionadas con él fueron confirmadas en el tiempo, abrió la mente y el corazón de mis compañeros de encierro. El apetito por las cosas espirituales era evidente. Estaban llenos de expectativas y emoción. Y a una voz me pedían:

—Dinos Maestro… ¿Después qué viene? ¿Hasta ahí llegó todo? ¿Qué más podemos esperar?

—¡No hermanos! ¡Este no es el final! Falta lo más importante: ¡Que Jesús viene otra vez!

Volví a abrir la Biblia, esta vez en el Evangelio de Juan y les leí, pleno de esperanza: "No se turbe vuestro corazón; creéis en Dios, creed también en mí. En la casa de mi Padre muchas moradas hay; si así no fuera, yo os lo hubiera dicho; voy, pues, a preparar lugar para vosotros. Y si me fuere y os preparare lugar, vendré otra vez, y os tomaré a mí mismo, para que donde yo estoy, vosotros también estéis" (S. Juan 14:1-3).

La primera venida sustenta la certeza de la segunda

—Antes de ascender al cielo —les expliqué—, Jesús mismo

dejó esta promesa a sus discípulos, y yo creo firmemente que la mayor seguridad que tenemos para creer que él viene por segunda vez es su primera venida. Y la mejor garantía para saber que viene otra vez es su propia promesa: "Vendré otra vez". Él ya vino una vez y ahora se prepara para volver por segunda vez, para llevarnos con él.

Yo mismo ya no podía soportar la emoción; eran como niños que reciben un juguete nuevo: En ninguna de las grandes campañas de evangelismo que he dirigido después, he visto semejante regocijo ante la noticia más preciosa de la Biblia: "La bienaventurada esperanza del regreso de Jesús".

—¡Entonces, esto quiere decir que hay una esperanza para mí! ¡Que mi vida no va a terminar para siempre en esta sucia prisión! —expresaban unos y otros.

—¡Jesús viene por segunda vez! —yo les repetía lleno de entusiasmo— ¡Y viene a buscarnos! ¡Podemos esperar con seguridad su segunda venida! Porque la primera venida del Mesías es la gran certeza de que la segunda venida va a ocurrir. Leamos en el libro de los Hechos de los Apóstoles lo que sucedió en el mismísimo día que Jesús ascendió al cielo en presencia de sus discípulos, y cuál fue la confirmación de los ángeles. Después de darles la gran comisión de ir a compartir su testimonio con todas las naciones, comenzando primero con sus comunidades, Judea y Samaria (ver Hechos 1:8), Jesús se fue al cielo para completar su ministerio en el Santuario celestial, intercediendo por nosotros. Y el texto bíblico lo relata así: "Y habiendo dicho estas cosas, viéndolo ellos, fue alzado, y le recibió una nube que le ocultó de sus ojos. Y estando ellos con los ojos puestos en el cielo, entre tanto que él se iba, he aquí se pusieron junto a ellos dos varones con vestiduras blancas. Los cuales también les dijeron: Varones galileos, ¿por qué estáis mirando al cielo? Este mismo Jesús, que ha sido tomado de vosotros al cielo, así vendrá como le habéis visto ir al cielo" (Hechos 1:9-11).

—Es muy bonito tener una esperanza tan hermosa —exclamó Nicolás, que para entonces se veía muy emocionado.

—Claro —respondí—, habida cuenta de que la esperanza es para los desesperados como nosotros. Por eso no puede haber dudas al respecto. El plan del cielo es claro: El mismo Jesús que nació en el pesebre de Belén de Judea, el mismo que vivió predicando y haciendo bienes a los afligidos por el diablo, el Jesús que murió crucificado en la cruz del Calvario, el mismo que resucitó al tercer día, ese mismo Jesús que ascendió al cielo, ese es el mismo Jesús que va a regresar por segunda vez. Pero sin compromiso alguno con la muerte y el sepulcro, porque él ya venció, y viene para buscar a sus hijos que lo esperan. ¡Qué preciosa confirmación de la promesa hecha por Jesús nos dejaron los ángeles! Su venida será pública y visible: "He aquí que viene con las nubes, y todo ojo le verá, y los que le traspasaron; y todos los linajes de la tierra harán lamentación por él. Sí, amén" (Apocalipsis 1:7). Él vendrá de la misma forma como ellos lo vieron ir al cielo. Su segunda venida no quedará escondida a los ojos de la gente. Será vista por todos los habitantes de la tierra. La Biblia realza esta verdad de que el Señor aparecerá abierta y visiblemente cuando vuelva por segunda vez: "Aguardando la esperanza bienaventurada y la manifestación gloriosa de nuestro gran Dios y Salvador Jesucristo" (Tito 2:13).

Entonces parafraseé un texto muy caro a mi corazón que yo conocía casi de memoria. Y que ahora vuelco en forma literal. Son las páginas 694 a 703 del libro *El Conflicto de los siglos*, de Elena G. de White. Ella describe el momento de la segunda venida con tal inspiración que difícilmente haya pluma que se le asemeje:

Es a media noche cuando Dios manifiesta su poder para librar a su pueblo. Sale el sol en todo su esplendor. Sucédense señales y prodigios con rapidez. Los justos contemplan con gozo las señales de su liberación... En medio de los cielos conmovidos hay un claro de gloria indescriptible, de donde baja la voz de Dios semejante al sonido de muchas aguas, diciendo: "Hecho es" (Apocalipsis 16:17).

Esa misma voz sacude los cielos y la tierra. Síguese un gran terremoto, "cual no fue jamás desde que los hombres han estado sobre la tierra" (Apocalipsis 16:18). El firmamento parece abrirse y cerrarse. La gloria del trono de Dios parece cruzar la atmósfera. Los montes son movidos como una caña al soplo del viento, y las rocas quebrantadas se esparcen por todos lados. Se oye un estruendo como de cercana tempestad. El mar es azotado con furor. Se oye el silbido del huracán, como voz de demonios en misión de destrucción. Toda la tierra se alborota e hincha como las olas del mar. Su superficie se raja. Sus mismos fundamentos parecen ceder. Se hunden cordilleras. Desaparecen islas habitadas. Los puertos marítimos que se volvieron como Sodoma por su corrupción, son tragados por las enfurecidas olas... Las más soberbias ciudades de la tierra son arrasadas. Los palacios suntuosos en que los magnates han malgastado sus riquezas en provecho de su gloria personal, caen en ruinas ante su vista. Los muros de las cárceles se parten de arriba abajo, y son libertados los hijos de Dios que habían sido apresados por su fe.

Los sepulcros se abren, y "muchos de los que duermen en el polvo de la tierra serán despertados, unos para vida eterna y otros para vergüenza y confusión perpetua" (Daniel 12:2). ...Fieros relámpagos rasgan el cielo con fragor, envolviendo la tierra en claridad de llamaradas. Por encima del ruido aterrador de los truenos, se oyen voces misteriosas y terribles que anuncian la condenación de los impíos. No todos entienden las palabras pronunciadas; pero los falsos maestros las comprenden perfectamente. Los que poco antes eran tan temerarios, jactanciosos y provocativos, y que tanto se regocijaban al ensañarse en el pueblo de Dios observador de sus mandamientos, se sienten presa de consternación y tiemblan de terror. Sus llantos dominan el ruido de los elementos. Los demonios confiesan la divinidad de Cristo y tiemblan ante su poder, mientras que los hombres claman por misericordia y se revuelcan en terror abyecto...

Los que todo lo sacrificaron por Cristo, están entonces seguros, como escondidos en los pliegues del pabellón de Dios. Fueron probados, y ante el mundo y los despreciadores de la verdad demostraron su fidelidad a Aquel que murió por ellos. Un cambio maravilloso se ha realizado en aquellos que conservaron su integridad ante la misma muerte. Han sido librados como por ensalmo de la sombría y terrible tiranía de los hombres vueltos demonios. Sus semblantes, poco antes tan pálidos, tan llenos de ansiedad y tan macilentos, brillan ahora de admiración, fe y amor...

Pronto aparece en el este una pequeña nube negra, de un tamaño como la mitad de la palma de la mano. Es la nube que envuelve al Salvador y que a la distancia parece rodeada de oscuridad. El pueblo de Dios sabe que es la señal del Hijo del hombre. En silencio solemne la contemplan mientras va acercándose a la tierra, volviéndose más luminosa y más gloriosa, hasta convertirse en una gran nube blanca, cuya base es como fuego consumidor, y sobre ella el arco iris del pacto. Jesús marcha al frente como un gran conquistador. Ya no es "varón de dolores" que haya de beber el amargo cáliz de la ignominia y de la maldición; victorioso en el cielo y en la tierra, viene a juzgar a vivos y muertos. "Fiel y veraz", "en justicia juzga y hace guerra". Y los ejércitos que están en el cielo le seguían (Apocalipsis 19:11, 14). Con cantos celestiales, los santos ángeles, en inmensa e innumerable muchedumbre, lo acompañan en el descenso. El firmamento parece lleno de formas radiantes, "millones de millones y millares de millares"... A medida que va acercándose la nube viviente, todos los ojos ven al Príncipe de la vida. Ninguna corona de espinas hiere ya sus sagradas sienes, ceñidas ahora por la gloriosa diadema. Su rostro brilla más que la luz deslumbradora del sol del mediodía. "Y en su vestidura y en su muslo tiene escrito este nombre: Rey de reyes y Señor de señores" (Apocalipsis 19:16)...

Entre las oscilaciones de la tierra, las llamaradas de los relámpagos y el fragor de los truenos, el Hijo de Dios llama a la vida a los santos dormidos. Dirige una mirada a las tumbas de los justos, y levantando luego las manos al cielo, exclama: "¡Despertaos, despertaos, despertaos los que dormís en el polvo, y levantaos!" Por toda la superficie de la tierra, los muertos oirán esa voz; y los que la oigan vivirán. Y toda la tierra repercutirá bajo las pisadas de la multitud extraordinaria de todas las naciones, tribus, lenguas y pueblos. De la prisión de la muerte sale revestida de

> gloria inmortal gritando: "¿Dónde está, oh muerte tu aguijón? ¿dónde, oh sepulcro tu victoria" (1 Corintios 15:55). Y los justos vivos unen sus voces a la de los santos resucitados en prolongada y alegre aclamación de victoria...
>
> Los justos vivos son mudados "en un momento, en un abrir de ojos". A la voz de Dios fueron glorificados; ahora son hechos inmortales, y juntamente con los santos resucitados son arrebatados para recibir a Cristo su Señor en los aires. Los ángeles "juntarán sus escogidos de los cuatro vientos, de un cabo del cielo hasta el otro". Santos ángeles llevan a niñitos a los brazos de sus madres. Amigos, a quienes la muerte tenía separados desde largo tiempo, se reúnen para no separarse más, y con cantos de alegría suben juntos a la ciudad de Dios...
>
> El cortejo de los ángeles exclama "¡Santo, santo, santo, es el Señor Dios, el Todopoderoso!" Y los redimidos exclaman: "¡Aleluya!", mientras el carro se adelanta hacia la nueva Jerusalén.

Todos los reclusos de la galera estaban allí; sus semblantes estaban iluminados y muchos lloraban sin ninguna reserva, algunos repetían: "¡Santo, santo, santo!" Otros decían: "¡Aleluya!"

—¡Gracias, Señor —alguien murmuró—, por permitirnos conocer estas maravillas!

—Cada uno vuélvase a su compañero —les dije entonces— y estreche su mano y repítale: ¡Cristo viene pronto!

Entonces comencé a cantar el himno de E. L. Maxwell, "¡Oh! Cuán gratas las nuevas". Y todos me seguían, al principio en silencio, luego se me fueron uniendo con voces emocionadas:

¡Oh! Cuán gratas las nuevas
al peregrino aquí,
En destierro obligado a vagar:
"He aquí pronto en gloria
tu Salvador vendrá,
y podrás en su reino entrar".
Los sepulcros de cuantos en Cristo
duermen ya,
otra vez todos se han de abrir;
los millones también que en el mar
profundo están
volverán otra vez a vivir.
Nos veremos allá en el nuevo Edén feliz;
el adiós no diremos jamás;
pues del norte y del sur los salvados llegarán
a morar en el reino de paz.

¡Allí se sentía la presencia de Dios! ¡Fue un momento que nunca podré olvidar! Yo aguardo ese glorioso día de la segunda venida para encontrarme otra vez con mis padres y abuelos, con todos mis seres queridos que descansan en el sepulcro, y con los que no puedo ver porque nos separan las circunstancias. Pero en forma muy especial yo añoro aquel "día glorioso de la segunda venida de Cristo", para encontrarme con mis hermanos presos, aquellos que conocieron a Jesús en aquella cárcel, y los que vinieron al camino de la salvación a través de ellos.

DEL AGUA Y DEL ESPÍRITU

"De cierto de cierto te digo, que el que no naciere del agua y del Espíritu, no puede entrar en el reino de Dios" (S. Juan 3:5).

Esa tarde, el sargento G., Jefe de Operaciones, ordenó que me llevaran a hacer un trabajo para mover unos muebles y unos archivos en su oficina. Cuando él quería hablarme de algo personal, y para que nadie se percatara, me buscaba algo que hacer en algún lugar donde, como decía él, "no hubiera moros en la costa".

—Mijo —me dijo—, tengo buenas y malas noticias para ti —Yo empecé a sentirme intranquilo. Pero él continuó—: La buena noticia es que ya te van a sacar de la Leonera, y te van a trasladar a la granja de la penitenciaría, y aunque tendrás que trabajar muy duro, al menos allí vas a estar al aire libre y al sol; y la comida es un poco mejor. La población de reclusos de esta granja es muy diferente, es otro mundo muy distinto, allí vas a estar con los presos políticos. Esa gente son en su gran mayoría personas decentes, aunque eso nos disguste a muchos. No pelean entre ellos y difícilmente se pierde algo; no hay ladrones en esa área. Pero son los peores enemigos de la Revolución y son los más vigilados. No te imagines que te están dando un premio por buena conducta ni cosa que se parezca. Lo que pasa es que algunos soplones han informado que tú estás corrompiendo a los presos con ideas religiosas; y eso aquí se considera "diversionismo ideológico". Pero como no han encontrado quién te acuse directamente, porque ser "chivato" en la Leonera se paga con la vida, y no quieren malgastar un infiltrado por un problema como el tuyo. Pero al trasladarte con los políticos, te van a tener en la mirilla. Allí tienen gente que parecen ser presos políticos, pero no lo son; son agentes encubiertos que se encargan de vigilar muy de cerca cualquier actividad. Son muy cuidadosos; nadie sabe quiénes son, ni yo mismo los conozco. El Comisario y el Reeducador piensan que si bien no te pudieron doblegar con la dureza de la Leonera, y eso no te lo perdonan, esta nueva estrategia va a manifestar que tu eres un contrarrevolucionario que finge ser un humilde religioso, y que allí sí te van a poder agarrar haciendo proselitismo y hablando mal de la Revolución y poder meterte una buena condena. No sé el momento del traslado; pero no va a demorar mucho; pues ellos están con ganas de empezar el experimento..

Agradecí al sargento G. y oré por él. También entendí claramente que tenía que apresurar mi obra, porque aunque parecía increíble, era obvio que algunos de los presidiarios, asesinos contumaces, eran fieles al sistema comunista, y estaban dispuestos a estorbar la obra de la predicación del evangelio. Ellos, de alguna manera, me delataron por hacer proselitismo y estar corrompiendo con mis charlas a los propios presidiarios. Cosa interesante fue que los guardias del pasillo no fueron los que me denunciaron. A veces nos mandaban a callar y nada más. Nunca supe la razón de su discreción. Alguien comentó que posiblemente como todo estaba más tranquilo en la sección, a ellos les convenía, porque tenían menos problemas y menos trabajo. En todo caso, que Dios los bendiga por esa actitud tolerante.

Yo por mi parte no hice comentario alguno. Pero en mi interior sabía lo que tenía que hacer. Aunque nunca me había visto en una situación semejante, era imprescindible dejar a los nuevos creyentes organizados; de lo contrario, todo podría reducirse a una bonita experiencia que se esfumaría en el aire. Ese no era el plan.

Esa noche, el otrora temible Leonardo, "el tipo que mató a Drácula", vino a la reunión. Los hermanos estaban felices de verlo allí, humildemente cantando y diciendo amén. Entonces les hablé de un tema muy decisivo: el nuevo nacimiento. Después de entonar varios cantos que yo les había enseñado, oramos y abrí la Biblia en el Evangelio de Juan, en el capítulo 3:

> "Había un hombre de los fariseos que se llamaba Nicodemo, un principal entre los judíos. Este vino a Jesús de noche, y le dijo: Rabí, sabemos que has venido de Dios como maestro; porque nadie puede hacer estas señales que tú haces, si no está Dios con él. Respondió Jesús y le dijo: De cierto de cierto te digo, que el que no naciere de nuevo, no puede ver el reino de Dios. Nicodemo le dijo: ¿Cómo puede un hombre nacer siendo viejo? ¿Puede acaso entrar por segunda vez en el vientre de su madre, y nacer? Respondió Jesús: De cierto de cierto te digo, que el que no naciere de agua y del Espíritu, no puede entrar en el reino de Dios" (S. Juan 3:1-5).

—Maestro, yo ya sé de qué se trata —dijo Leonardo. Todos se quedaron asombrados al oírlo hablar en esos términos. Los hermanos reclusos no podían creer lo que estaban oyendo. Pero él, dándose cuenta de la impresión de extrañeza que producía, trató de explicarse y continuó más o menos así:

—Hermanos, me ha sido muy difícil decidirme a decir lo que digo hoy, en presencia de muchos de ustedes que conocen mi vida pasada y parte de mi historia en este lugar. ¡Sí! ¡Yo he sido un hijo del diablo! Un abusador, un asesino y la persona más miserable del mundo. ¡"El tipo que mató a Drácula"!, como todos me llaman por ahí entre dientes. Pero lo que ninguno de ustedes sabe es que yo mismo deseaba morirme y no podía. Y he tenido una angustia horrible, algo así como una rata comiéndome el corazón día y noche, pero que no acababa de comérselo para que yo descansara y terminara con el terrible dolor. Sin embargo, durante estas últimas semanas, Dios me ha visitado. Y he muerto... ¡Sí! ¡El León, "el tipo que mató a Drácula", ha muerto! ¡Ha muerto un asesino! ¡Y he nacido de nuevo! Hoy me declaro ante todos ustedes como un hijo de Dios, y quiero pedirles perdón a todos los que he herido y maltratado. —Comenzó a mencionar nombres y a confesar sus pecados uno por uno.

—Y hoy reconozco la magnitud de mi decisión, sé los riesgos que corro, porque le he prometido al Señor que mis manos no volverán a matar ni destruir. ¡Pero lo acepto todo por amor a mi Jesús, cuyas manos fueron clavadas por mí en la cruz del Calvario! ¡He nacido del Espíritu y quiero nacer del agua! ¡Por favor bautíceme, pastor! —Se quitó la gorra, y nos enseñó que se había cortado la melena, símbolo de su vida pasada—. ¡Yo quiero ser bautizado ahora!

—Hermano Leonardo —le dije—, doy gracias a Dios por tu decisión. ¡Pero para bautizarte necesitamos agua, bastante agua, no unas gotitas en la cabeza! Recuerda que Jesús fue bautizado por Juan el Bautista en el río Jordán. En el bautismo bíblico es necesario ser sumergido en un sepulcro líquido, como símbolo de muerte y sepultura al pecado.

Yo me sentía muy emocionado y agradecido. Estaba por irme de la Leonera, mi ministerio entre ellos estaba terminando, y ¡qué maravilla! En pocas semanas, el Señor había formado un grupo de creyentes en el lugar menos indicado, en el lugar más difícil; y el mismo Dios había levantado un predicador, tosco, brutal si se quiere, pero el hombre perfecto para guiar a los presidiarios en la difícil senda que les tocaría recorrer hasta el gran día de la liberación.

—Maestro —sugirió el hermano Gravarán—, hay un depósito de agua en los baños, es como un barril grande que siempre está lleno para momentos de emergencia o en caso de fuego. ¿Será suficiente? ¿Es esto una emergencia?

—¡Creo que sí es suficiente… si somos creativos! ¡Y sí, esto es una gran emergencia y un caso de fuego! ¡Porque el fuego del Espíritu Santo está actuando y purificando corazones aquí esta noche!

Entonces hice un llamamiento más extenso:

—Hermanos: ¿Hay alguno más que quiere hacer su pacto con Dios en esta noche, por medio del bautismo? Vengan y haremos una oración de consagración y pediré al Padre que los bautice con el Espíritu, y yo los bautizaré con agua.

Y uno por uno, 16 hombres tomaron su decisión. Después de aquel precioso momento de oración, fui al área de los baños. El barril estaba lleno y comencé la ceremonia bautismal más extraña de mi vida. Nada convencional. No podía inclinar hacia atrás a mis hermanos para sumergirlos completamente en el agua. Pero los sumergía hacia abajo; y comencé con el primero, más o menos así:

—¡Mi querido hermano Leonardo, por cuanto has aceptado a Jesús como tu Salvador personal, por cuanto has decidido seguir a Cristo como el nuevo guía de tu vida, y por cuanto has dicho adiós al pasado, para perdón de todos tus pecados y el comienzo de una nueva experiencia, como ministro del evangelio yo te bautizo, en el nombre del Padre, del Hijo y del Espíritu Santo! ¡Amén!

Aquella memorable noche bauticé a 17 preciosas almas, porque el hermano Malagón se decidió al final, pues pensaba que él no cabía en el barril. Pero con la ayuda de Gravarán y otros lo entramos, y él también fue bautizado…

¡Y hubo mucho gozo en el cielo! ¡Porque de cierto de cierto os digo que hay más gozo en el cielo por un presidiario que se arrepiente, que por 99 personas que se creen buenas allá, afuera de la cárcel!

EPÍLOGO

Los siguientes dos días y medio los pasamos muy atareados. El nuevo grupo de cristianos bautizados necesitaba un tipo de estructura para poder funcionar, una que fuera simple, pero suficientemente sólida como para mantener la unidad y la integridad de la pequeña iglesia. Yo no tenía experiencia alguna en este tipo de situaciones; los nuevos hermanos muchísimo menos. Así que orando y aplicando los conceptos bíblicos y mi experiencia con la iglesia fuera de la prisión, comencé a explicarles cómo funcionaría una iglesia en la prisión.

Tal vez no fue un sistema totalmente ortodoxo, pero fue bíblico, y ha funcionado. Se ha mantenido, según leo en las páginas amarillentas que recibí años más tarde.

Hay mucho más que quisiera contarles, pero por la naturaleza de este libro ya no tengo espacio. Probablemente escribiré otro libro para relatarles mis vivencias con los presos políticos y el desarrollo de la iglesia subterránea.

Pero, en síntesis, esto fue lo que sucedió antes de que me pasaran al otro sector de la cárcel: Nombramos varios líderes para la iglesia naciente; un anciano o líder espiritual del grupo, él se encargaría de predicar y enseñar: ¡el escogido fue nada menos que Leonardo! Un diácono, quien se encargaría de organizar las reuniones, buscar y preparar el lugar y la ocasión: el escogido fue Gravarán. Les expliqué cómo funcionar como parte del cuerpo de Cristo, la iglesia. Les enseñé procesos y cómo tomar decisiones y respetarlas en grupo. Reforcé los puntos principales de la doctrina.

Le regresé la Biblia subrayada y preparada a Leonardo, con muchos textos importantes de cada doctrina fundamental.

Escribimos la letra de todos los himnos que yo pude recordar.

Al día siguiente llegó un momento muy difícil y emotivo. Nunca lo podré olvidar. La voz del guardia que me trasladaría a la granja donde se encontraban los presos políticos, resonó: "¡144, recoja sus pertenencias, que tiene traslado!"

Mientras recogía mis pocas pertenencias, los presos hermanos venían y con lágrimas en los ojos me abrazaban y se despedían. Fue un momento, honestamente les digo, duro. No fue fácil. Aunque me iba de la Leonera, e iba a ver otra vez la luz del sol, allí dejaba los primeros frutos de mi trabajo y mis sufrimientos en aquella lúgubre prisión.

Cuando se abrió la reja, les dije:

—¡Hermanos, nos veremos en aquel gran día, que pronto vendrá! Los encomiendo a la gracia de Dios y al ministerio del Espíritu Santo.

El guardia me interrumpió:

—¡No es tiempo para discursitos, vamos, que hay que trabajar!

No pude decir nada más; pero repetí en mi interior: ¡Sí, hay que trabajar, hay mucho que hacer allá adonde voy!

Y mientras salía, muy emocionado, escuché a mis espaldas las preciosas palabras, que todos comenzaron a cantar:

—"¡Oh! cuán gratas las nuevas al peregrino aquí,
en destierro obligado a vagar;
he aquí pronto en gloria tu Salvador vendrá,
y podrás en su reino entrar:
¡Sí viene, viene, viene, esto sé; a la tierra Jesús vendrá;
y los peregrinos, a la gloria irán, a su reino el Señor los guiará!"

Yo salía por la puerta de la salida principal de la Leonera, y ellos repetían:

—¡Sí viene, viene, viene esto sé!

¡UN CURSO GRATUITO PARA USTED!

Si la lectura de este libro lo inspira a buscar la ayuda divina, tiene la oportunidad de iniciar un estudio provechoso y transformador de las Escrituras, sin gasto ni compromiso alguno de su parte.

Llene este cupón y envíelo por correo a:

La Voz de la Esperanza
P. O. Box 53055
Los Angeles, CA 90053
EE. UU. de N. A.

✂- - - - - - - - - - - - copie o corte este cupón - - - - - - - - - - - -

Deseo inscribirme en un curso bíblico gratuito por correspondencia:

❑ Hogar Feliz (10 lecciones)
❑ Descubra (26 lecciones)

Nombre____________________________________

Calle y N°__________________________________

Ciudad_____________________________________

Prov. o Estado______________________________

Código Postal (Zip Code)____________________

País_______________________________________